## JÉRÔME ATTAL

Jérôme Attal est écrivain, auteur de chansons et scénariste. Il a écrit une dizaine de romans parmi lesquels *Aide-moi si tu peux* (2015), *Les Jonquilles de Green Park* (2016) – qui a obtenu le prix L'île aux livres et le prix coup de cœur La Griffe noire au salon du livre Saint-Maur en Poche –, *L'Appel de Portobello Road* (2017), et *37, étoiles filantes* (2018) – Prix livres en vignes et Prix de la rentrée « les écrivains chez Gonzague Saint Bris ». En 2019 a paru *La Petite Sonneuse de cloches* aux Éditions Robert Laffont.

**Retrouvez l'univers et le travail de l'auteur sur :**
**https://www.jerome-attal.net**

# LA PETITE SONNEUSE
# DE CLOCHES

DU MÊME AUTEUR
*CHEZ POCKET*

# JÉRÔME ATTAL

# LA PETITE
# SONNEUSE
# DE CLOCHES

Cet ouvrage revu et corrigé par l'auteur
est augmenté d'une nouvelle inédite

**ROBERT
Laffont**

© Éditions Robert Laffont, S.A.S., Paris, 2019.
© Pocket, un département d'Univers Poche, 2020
pour la présente édition

ISBN : 978-2-266-29772-1
Dépôt légal : août 2020

*« There is a distinction between fact and truth.*
*Truth has an element of revelation about it. »*

Lucian Freud

« Écrire, ce n'est pas raconter des histoires. C'est raconter tout à la fois. »

Marguerite Duras, *La Vie matérielle*

Pas un shilling en poche. Dormi en coups de sabre et rien avalé de solide depuis la veille au soir (une demi-brioche trempée dans un verre de thé). La saleté qui torpille dans Soho l'aveugle un court instant ; le passage d'une voiture de poste attelée de deux chevaux lancés à plein galop et qui racle l'effort de trottoir le projette contre une façade en briques ; il comprend que ce qui le condamne le sauve à la fois : n'être plus qu'un corps réduit à un cœur qui bat.

Il s'est emmitouflé dans le manteau bleu nuit qu'il a trouvé dans ce commerce obscur du port de Jersey, avant d'embarquer pour l'Angleterre. En voulant élargir une des poches, il l'a crevée. Sa main droite s'enfonce dans la doublure, ses doigts sautent dans le vide. Il dirigera ses pas vers l'hôtel Grenier pour solliciter la couturière de permanence. Il la regardera faire, et pour peu qu'elle soit jolie, aura la sensation qu'elle raccommode dans le même mouvement une partie de son cœur ; la beauté agit toujours comme un baume fugitif. Puis il ira s'étendre sous les pins de Hyde Park, le ciel sera strié d'un vol de perruches, de belles Anglaises se demanderont qui il est.

Pour l'heure, François-René repère l'enseigne de fer et de plomb clouée à l'une des façades de Shelton Street et dont l'inscription, « Le gentil dentiste », tient lieu d'anesthésie locale pour les patients les plus rétifs. La porte s'ouvre sur un escalier raide comme la police du roi George, et une fois le bataillon de marches avalé, sa main vacille sur la poignée en cuivre : il est monté trop vite, un étourdissement, la fièvre, la faim, les mauvaises nuits. Il pourrait chuter et se retrouver en bas, le crâne ouvert en deux, adieu déloyal à celui qui n'a pas encore épuisé tous les horizons permis.

« Eh bien, entrez ! Ne faites pas le timide avec votre douleur. »

Le ton est caustique, loin de l'impression laissée par l'inscription sur la façade. Le gentil dentiste se tient dans l'embrasure d'une seconde porte, entre son cabinet et le vestibule où une dame vêtue d'une imposante robe à coqueluchon produit des efforts spectaculaires pour s'asseoir sur une toute petite chaise. Elle n'y arrivera jamais. Autant demander à un paon de se jucher sur une tête d'aiguille. Elle paraît s'offusquer que le docteur s'adresse au jeune homme alors qu'elle est arrivée la première.

« C'est un migrant, lui glisse le dentiste à l'oreille. Après lui, j'en aurai terminé avec eux pour la journée.

— Oh », fait la dame, assez rondement pour que ce « oh » contienne toute sa contrariété et un peu de sa commisération.

Elle dévisage François-René des pieds à la tête. Quel accoutrement ! Quel teint cadavérique ! Du charme, certes. Des yeux ardents. Comme les ressorts d'un cœur déboulonné. Le nez est effilé, de la taille de chacun des sourcils. Boucles brunes et rouflaquettes épaisses, cheveux longs caractéristiques de la jeunesse. Une sorte de paysan efféminé. Pas bien grand, mais attachant. Elle le quitte des yeux pour de nouveau tenter de viser la chaise minuscule sur laquelle elle aimerait s'asseoir. Vous devez toujours tenir debout, même à l'horizontale, quand vous êtes une femme. Condamnée à être sur le point d'apparaître.

Quand François-René pénètre dans la pièce qui fait office de cabinet, il est frappé par la nudité du lieu. Un parquet aussi vaste que le pont d'un navire, flanqué de deux baquets : l'un destiné à recevoir les dents, l'autre empli à moitié d'une eau troublée de crachats. Contre l'un des murs, un établi sur lequel s'entasse un assortiment d'ustensiles : pinces plus ou moins tordues, tenailles, crochets, forceps coupants, clés de porte et pelote de ficelle. Un flacon d'eau-de-vie accouplé à un gobelet trône en évidence au milieu des instruments sans qu'on puisse déterminer si ce remède est à la jouissance du praticien ou du patient. François-René se tourne vers le dentiste dont la figure n'offre aucun crédit de réconfort. Sous sa perruque mal ajustée, le docteur Adam Fowles s'obstine à garder les lèvres serrées de manière à ce qu'on ne puisse pas estimer par avance ni la qualité ni les risques du travail en passe d'être exécuté. Les yeux du chevalier zigzaguent du tablier crasseux qu'il porte autour de la taille à la motte de dents au fond d'un des baquets.

« Avec ça, fait le dentiste, je pourrais en fabriquer des imitations de souvenirs de la Barbade. Comme les colliers tressés de coquillages qu'on voit revenir au cou de nos marins. La science avance à grands pas, mais pour foudroyer la douleur, on ne trouvera jamais mieux que l'arrachage ! »

Le jeune homme déglutit.

« Vous êtes bien monsieur Chat Ô'Bryan ?

— Chateaubriand. Pas irlandais, français.

— Oui, enfin, catholique, c'est la même chose, répond le docteur dans un sarcasme. C'est votre compatriote, Mme de Boufflers, qui vous envoie…

— Oui, répond le jeune homme. C'est notre mal à nous : même pour une dent, nous avons besoin d'une recommandation.

— Par ici, prenez place. »

François-René reste un moment stupide, ayant imaginé qu'il trouverait une chaise aux accoudoirs confortables ou une sorte de sofa en crin de cheval adapté aux besoins de la pratique dentaire ; rien de tout cela, il n'a d'autre option que de suivre la main du dentiste dirigée vers le sol et qui l'invite, d'un geste impératif, à s'étendre à même le parquet.

« Sur le dos. Bien droit. Par contre, n'allez pas vous endormir. Ça arrive souvent avec les migrants. Ça passe ses journées à errer dans nos rues, ça arrive ici, et hop, ça roupille ! »

Le dentiste, qui en trois pas s'est emparé d'un assortiment de pinces sur l'étagère, s'accroupit à hauteur de la tête de François-René et cale ses genoux en étau bien serré contre ses tempes.

« Désolé, dit le docteur Fowles, vous auriez sans doute préféré que ce soit une femme qui vous inflige

12

cette position ? Malheureusement, elles n'ont pas encore la possibilité d'exercer. Peut-être dans une société libérale comme celle que votre révolution prépare en France. Quoique chez vous, il y a une méthode plus radicale aux extractions dentaires : on tranche carrément la tête des gens ! Ouvrez grand la bouche... Où avez-vous mal précisément ? »

François-René ramène fébrilement sa main droite au-dessus de son corps et désigne, après un bref survol du cœur, la dent de sagesse cariée.

« Oh ! Bon, eh bien, on va arracher cette vilaine chose ! Quand le groom de Mme de Boufflers m'a parlé de vous, je vous imaginais plus âgé.

— J'ai vingt-cinq ans. Mais j'ai eu des ancêtres plus vieux. »

Le mot d'esprit tombe à plat.

« C'est parce que vous avez déjà fait tant de choses, à ce qu'on raconte. Vous êtes parti découvrir l'Amérique, n'est-ce pas ? Puis revenu en Europe, vous vous êtes engagé dans l'armée des princes ? Ouvrez grand. Le siège de Thionville. Auparavant, on vous a vu à Versailles, chez le roi. Vous avez la bougeotte, quoi. Ah, cessez de gigoter ou le pélican n'entrera jamais dans votre bouche !

— Le quoi ? »

Une courte et enveloppante suée d'effroi saisit le chevalier. Il profite d'un frisson musculaire pour scruter les alentours. Il faut s'attendre à tout avec ces Anglais. Un pélican dans la chambre ? Est-ce possible ? Un de ces oiseaux fiers et goguenards qu'il a vus parader à la surface des étangs de St James Park ne va tout de même pas se percher sur son torse et arracher sa dent d'un coup de bec ?

« *Pelecanus onocrotalus*. Eh bien, sachez que le nom a été donné à l'instrument que je vais introduire dans votre orifice buccal, car il y a une similarité de forme, ne trouvez-vous pas ? »

François-René commence à être exaspéré par cette manie qu'ont les Anglais de terminer leurs phrases par une interrogation, comme s'il était facile de soutenir une conversation dans cette position grotesque, allongé sur le dos, la bouche ouverte, la tête coincée entre les genoux d'un homme, dans une promiscuité malplaisante. Le dentiste fait danser entre ses doigts la pince qui, effectivement, rappelle le bec du pélican. Un manche en ivoire et deux crochets, dont le plus autonome est incurvé et relié à l'autre par un mécanisme à vis.

« Tout va bien se passer. Ça va juste tirer un peu. Fermez les yeux et concentrez-vous sur un souvenir agréable. Les souvenirs agréables sont faits pour ce genre de moment désagréable. C'est même leur raison d'être. »

François-René se raidit. Les paumes de ses mains se déplient sur le parquet rugueux, enflé d'échardes, à la recherche d'un appui, d'un objet quelconque sur lequel resserrer son anxiété ; aucune prise au cas où la douleur deviendrait insupportable. Planter ses ongles dans le bois ? En dernier recours. Pas de meilleure solution pour le moment que de suivre le conseil du docteur Fowles afin d'échapper à cette torture consentie. Mais un souvenir peut-il seulement être agréable ? Un souvenir n'est-il pas chargé par essence d'une dose de mélancolie qui en corrode obligatoirement le caractère agréable ? Sur quoi se fixer, alors ? Sa jeunesse en

Bretagne ? Le velours de verdure des sous-bois de Combourg ? Le regard éperdu d'une Indienne d'Amérique, empli d'un irrésistible appel à l'amour, au moment où leurs embarcations en coque de sapin se frôlaient, sur les eaux calmes du fleuve Ohio ?

À moins qu'il ne se concentre sur le baiser de lave, comme un gribouillage coloré, de la dernière fille en date ? La petite sonneuse de cloches. Penchée au-dessus de lui dans les brumes de l'abbaye de Westminster, dans laquelle il s'est laissé enfermer l'autre nuit. Une jeune Anglaise aux cheveux d'or et aux yeux clairs venue défier la solennité des tombeaux à la décoction de l'aube.

Elle a couronné leur rencontre involontaire d'un baiser qui l'a laissé sur (et avec) sa faim.

Ce baiser le tourmente désormais. C'est une chasse à courre de tout son être pour retrouver cette fille et ce baiser qui le dévorent comme un feu. Alors, un souvenir agréable ? La promesse de la revoir.

Bretagne ? Le velours de verdure des coussins de
Combien ? Le regard errait d'une lanterne d'Ango-
pique, emplie d'un irrésistible appel à l'amour qu...
moment où leurs embarcations au coque de sapin se
...aient, sur les eaux calmes du fleuve Chine ?...

À moins qu'il ne se crispâtre sur le banc ?? de lever
comme un embouillage roller de la dernière fille en-
dere ? La petite sonnette de cloches. Prince ?? un des-
sis de... dans les folâtres et ...nknw...?...ment...
...dans l'aqui...il ?... sur ...né ?... aderant l'âme. ...ut Une
jeune Anglaise aux cheveux d'or et aux yeux d'étoiles
venue offrir la volonté des toulbeaux à la décoration
de l'aube.

Elle a couronné leur rencontre involontaire à la
...barce qui l'a laisse sur ici avec sa lum...
Ce baiser le toucherait désormais. Il voulait chasser
...que sa femme va elle pour temporérecette fille et ce
baiser qu'il le dévorait comme autres. Alors, inquiétant-
ill suffisait... à la première de la révolte.

# I

## Autopsie d'un baiser

Elle cherchait sa culotte depuis autant de secondes qu'il y a de chapitres dans le roman de Fitzgerald *Les Heureux et les Damnés*. Mes yeux passèrent du réveil électronique au livre qui traînait à côté du lit, et j'eus envie de lui faire part de ma trouvaille, mais trop de littérature exécute le désir. D'autant qu'elle m'avait avoué qu'avant de m'entendre prononcer son nom, Chatterton n'était pour elle qu'un gros ruban de scotch.

Trois heures et dix-sept minutes du matin. Mon sexe dardait encore quand je décidai d'enfiler mon jean. Je le sentis battre sur le haut de ma cuisse et je ne savais pas si cela devait m'embarrasser ou me rassurer sur ma virilité, qui en était, comme je l'avais entendu soutenir un soir par le professeur de lettres Joe J. Stockholm lors d'un colloque improvisé dans notre salle de séjour, quelque part entre *Le Côté de Guermantes* et *Sodome et Gomorrhe*, selon la théorie stockholmienne qui veut que chaque titre qui compose et scande *La Recherche* corresponde à une étape de votre vie sexuelle.

Je la regardais évoluer dans son petit studio qui donnait sur la place du Trocadéro à la recherche de sa culotte, puis d'une bouteille d'eau. J'avais toujours trouvé cette place funèbre, ce quartier dispensable, surtout de nuit. L'appartement était triste, quelconque, interchangeable ; la salle de bains, qui fait souvent office de sas avec le monde extérieur, était la pièce la plus charismatique. La fenêtre, qui donnait sur la place, était pourvue d'un store vénitien, dont le modèle ressemblait à celui de la chambre d'hôtel de mon dernier séjour à New York, et j'avais pensé sur le moment qu'il fallait être doté d'un tempérament puissamment romantique, ou un brin dérangé, pour faire en sorte que la vue qui donne sur le Trocadéro fasse écho, de quelque manière que ce soit, à la ville de New York.

En réalité, je ne savais pas ce qui m'avait plu chez cette fille. Son désir pour moi, peut-être, sans qu'elle ait cherché à le nuancer. Comme s'il ne devait plus jamais y avoir d'occasion ou de certitude aussi forte. Ou la manière dont elle avait croisé ses jambes sous la table des conversations ; ses seins, que j'avais devinés d'une proportion admirable sous son chemisier et qui s'étaient révélés conformes à mes pronostics ; la jubilation de repartir avec elle alors qu'elle était arrivée dans la compagnie d'un autre, à moins que ce ne soit l'instant où, dans ce bar du 9e arrondissement, elle était tombée à l'improviste sur cette amie – plus jolie qu'elle – et l'avait embrassée dans le cou ; je pense que cela m'avait excité parce que c'est un geste auquel je ne m'attendais pas dans ce contexte, et je l'avais jugée dès le départ un peu prude – et finalement elle ne l'était pas puisqu'elle avait insisté pour me conduire chez elle.

Il faut probablement mettre ça sur le compte de l'alcool. Quand je pense que la moitié des individus nés dans cette ville sont à mettre sur le compte de l'alcool, ça me fout le moral à zéro. Je n'ai pas les statistiques mais si vous sortez deux ou trois fois par semaine, disons le jeudi, le vendredi, et le samedi soir, et que vous regardez autour de vous comment les choses se passent, c'est une chose dont vous vous persuadez rapidement. Bref, j'étais de nouveau excité par l'image de cette fille, de sa copine effervescente et de leur intimité que j'avais surprise dans ce bar, alors, au moment où elle revint vers le lit, j'attirai à moi sa taille légère, la fis basculer dans mes bras et j'étais prêt de nouveau à envoyer sa culotte valdinguer je ne sais où, au-delà de cette place falote et déprimante du Trocadéro, quand le téléphone sonna.

Je m'extirpai du lit à regret, me cognai contre l'angle de quelque chose de pointu, comme un apéritif à la douleur, et attrapai le téléphone dans la poche de mon blouson. Au bout de la liaison, un jeune interne, embarrassé malgré le protocole à suivre : « Monsieur Stockholm ? Joachim Stockholm, c'est bien vous ? Monsieur Stockholm, je ne sais pas comment vous annoncer ça... »

Et tout de suite, pas la peine d'en faire des tonnes, j'avais compris que mon père venait de mourir. Aussi, depuis cette nuit-là, même si je n'ai plus grand monde à perdre autour de moi, je redoute comme si mon cœur allait exploser le téléphone qui sonne au beau milieu de la nuit.

Je compte mon père parmi les victimes collatérales de la grande canicule de 2003. Un reportage récent dénombrait les disparus de ce triste été à environ vingt mille. Mon père était mort en septembre, mais je me souviens que fin août, en raison du nombre élevé de moribonds qui affluaient dans les couloirs de l'hôpital, ils l'avaient renvoyé à la maison. Dans son état piteux, avec son trou dans la gorge et le corps bardé de fils qui vous maintiennent tout juste en vie, qui vous stabilisent dans une zone inconfortable d'angoisse, d'empêchements et de fatigue. Dans mon journal intime, à la date du 30 août 2003, je m'étais contenté de noter : « Avec ses tuyaux partout, mon père ressemble au Centre Pompidou. »

Mon père était le célèbre professeur de lettres Joe J. Stockholm. Sa renommée, au cas où elle ne serait pas remontée jusqu'à vous, n'avait pas d'équivalent au début des années quatre-vingt-dix, à Paris, du moins dans le quartier Censier-Daubenton, où l'on tenait pour un fait d'armes qu'il ait boxé puis envoyé au tapis (de feuilles mortes) un confrère qui avait affirmé à ses élèves que les *Nouvelles orientales* de Marguerite Yourcenar valaient à elles seules tous les courts romans de la période normande de Marguerite Duras. Le combat avait eu lieu place Bernard-Halpern, derrière le local des Narcotiques anonymes.

Mon père jouissait par ailleurs d'une excellente réputation chez ses étudiantes, notamment celles qui, entre dix-neuf et vingt et un ans, considéraient *Le Navire Night* comme un missel. Elles le surnommaient « *Half Sugar Daddy* » parce que son arrivée à l'université Paris III avait correspondu à l'abandon progressif du sucre dans son alimentation, pour culminer, à la fin de sa vie, par l'utilisation compulsive d'édulcorants de table.

Sur son temps libre, Joe J. écrivait des livres énormes qui se vendaient peu sans qu'il en conçoive amertume ni rancœur. Il expliquait ne pas vouloir être tributaire de l'actualité, affirmant que ce qui différencie les grands écrivains des grands criminels réside dans le fait que les premiers ne sont jamais aptes à être jugés par leur époque.

Installé dans un fauteuil club en cuir brun, tenant en équilibre au bout de ses orteils une pantoufle frappée de l'effigie d'Edgar Allan Poe – offerte par l'une de ses étudiantes en guise d'adieu, le shopping étant un excellent remède au désespoir amoureux –, il en venait toujours à cette conclusion imparable : « À sa première édition, Georges Bataille n'a vendu qu'une vingtaine d'exemplaires de son *Histoire de l'œil*. »

En toute honnêteté, je ne sais pas d'où mon père tenait cette information.

Par un samedi lugubre et pluvieux où Joe J. avait déserté le domicile familial en prétextant un séminaire sur « L'impossibilité de la verveine dans l'œuvre de Marguerite Duras » – il aurait pu tout aussi bien être retenu dans une chambre d'hôtel avec une de ses étudiantes, mon père ayant, si je puis dire, le séminaire séminal (Qui parmi nous peut l'en blâmer ? C'eût été stupide, voire particulièrement ingrat, de traverser cette existence sans profiter des beaux moments de consentement qui vous étaient offerts) –, j'avais chapardé dans les hauts degrés de sa bibliothèque le livre en question de ce Georges Bataille à la réputation sulfureuse.

En ouvrant *Histoire de l'œil*, j'étais désormais prêt à rencontrer la littérature. Celle qui frappe au ventre. Qui bousille votre volonté pour tout le reste. Le passage où Marcelle se branle dans une armoire normande m'avait fait passer en moins de trois chapitres d'une enfance sage et obéissante à une adolescence anxieuse et survoltée.

Bien que la carrière de Daddy ait été principalement consacrée à l'enseignement, voici une courte bibliographie des œuvres qu'il publia chez différents éditeurs (avec lesquels il ne cessa d'en avoir, des différends), sans jamais dépasser le modeste à-valoir que ces derniers avaient bien voulu lui concéder en retour :

*L'Influence du mauvais café dans les meilleurs romans de Balzac* (L'Huître avantageuse, 1979),
*Mécaniques de l'Amérique chez Chateaubriand* (Fleurons des universités de France, 1984),

*Pourquoi écrire encore en 1986 ?* (FUF, essai qui, à cause d'un léger retard d'impression, était malencontreusement sorti en 1987),

*La Révolution en mille morceaux ou les infortunes de la duchesse de Lamballe* (L'Huître mélancolique, 1989),

*Qui nous rendra le temps perdu à aimer un être inaccessible ? Essai sur l'œuvre de Marguerite Duras* (FUF, 1997).

En dix ans, l'Huître avantageuse était devenue mélancolique. Des livres qu'il avait écrits jusqu'à leur terme, le dernier était mon préféré. Bien entendu, la réponse à la question posée par le titre, la promesse faite aux lecteurs, n'était qu'en partie tenue.

À ma connaissance, Joe J. travaillait toujours sur plusieurs projets à la fois, mais, à la manière des rendez-vous amoureux que cet homme ayant franchi le milieu de l'existence donnait de préférence en bord de mer, il avait l'élégance et la discrétion de ne jamais s'étendre sur le sujet à la maison.

# 3.

Au matin de la mort de Joe J., un médecin me confia le cahier qu'il avait tenu dans sa chambre d'hôpital. D'une écriture devenue incertaine avec la douleur, chacune des phrases qui dansaient sous mes yeux, bien que cruellement anecdotiques, parvenait à me siphonner le cœur. « Dans l'après-midi, je pourrai aller me doucher un peu ? » écrivait-il sur la pointe des pieds, au roulement de bille d'un stylo sans perspectives.

Cette pâle supplique, destinée à l'aide-soignante, avait-elle obtenu une réponse prompte à le soulager de la misère physique à laquelle il était réduit ? Errant sur le parking de l'hôpital, je tenais ce cahier contre moi, comme un bouclier dérisoire, en maudissant le soleil d'être aussi éclatant. On se sent parfois étrangement sec dans ces circonstances, alors, sur le moment, on souhaiterait voir la pluie tomber pour pleurer de manière plus démonstrative que nous n'en sommes capables le départ des êtres aimés. « J'ai eu beaucoup de nausées toute la journée d'hier et cette nuit. J'ai très mal dormi car le matelas est très dur et j'avais peur que tous ces fils qui m'entourent se détachent. »

Je parcourais avec peine ces petits groupes de phrases isolées, éclatées au gré des pages, comme des étoiles sans galaxie, tandis que je contournais le bâtiment pour me rendre une dernière fois à l'endroit où son corps était exposé. « Auriez-vous la gentillesse de bien vouloir faire le nécessaire pour que je puisse bénéficier d'une ambulance lors de ma sortie ? » demandait-il encore avec l'optimisme désespéré de l'enfant qui nomme la chose attendue pour qu'elle survienne. Le plus vite possible et sans coup bas.

Papa réclamait une ambulance pour la raison que ma mère n'avait pas conduit d'automobile depuis la mort de Grace Kelly et qu'il ne tenait pas à embarrasser les voisins (pourtant réactifs et serviables), pas plus qu'il ne tenait à déranger son fils unique. Jamais il n'évoquait devant moi ce genre de soucis, pour ne pas me déranger. J'ai pris de lui cette habitude, sauf que j'ai perverti son intention première. De mon côté, si je m'épanche rarement, c'est parce que j'attends que les choses que je désire surviennent. Je répugne à demander parce que la plupart du temps, cela me paraît intrusif ou déplacé, opportuniste ou grossier, alors souvent ce que je désire ardemment n'arrive pas, ou de manière cornée, déjà étiolée, et j'en conçois de vagues regrets mais de toute façon tout est noyé à la fin n'est-ce pas, ce qu'on a désiré et ce qu'on n'a pas eu, les baisers invisibles, les projets morcelés, rangés dans un tiroir faute de combattants valables ou de coup de pouce décisif, les amis qu'on aurait voulu retenir un peu plus, qu'on a laissé filer par négligence vers des attractions plus probantes, les êtres qu'on a terriblement aimés dans le feu dévorant de ne jamais le leur avouer, et les passions écarlates qui se sont estompées faute d'audace, de décision, ou d'un contexte favorable.

J'étais sur ce foutu parking avec son cahier des derniers jours entre les mains. En septembre encore, dans la fin de l'épisode de canicule, la moiteur de l'air était insupportable. Regagnant ma voiture, m'asseyant au volant et décidé enfin à pleurer comme on éternue un bon coup, j'avais à nouveau ouvert le cahier, cette fois à l'envers, sans y penser, pour y découvrir un autre genre d'écrits qui allait, à la vitesse d'une tête d'allumette qui s'embrase, subjuguer durablement mon esprit et motiver l'emploi de mes prochaines semaines.

C'était une sorte de plan. Ou, dans le cas de Joe J., le synopsis d'un prochain livre à écrire. Les premières grandes lignes d'un projet sur lequel il avait dû travailler dans ses dernières longueurs d'hôpital et qui devait parvenir à oxygéner ses journées ; une remise en jambes littéraire qui l'empêchait de se morfondre et de se faire du mauvais sang en pensant à ce que nous deviendrions, ma mère et moi, sans lui ; ma mère, moi, la voiture, le jardin, le jet d'eau, la tondeuse, le garage, la maison, le tuyau de douche et l'ampoule à changer, et toutes les choses dont il s'occupait mieux que personne et pour nous trois.

À première vue, un nouveau livre sur Chateaubriand – auquel Daddy (ce dandy sans « n ») avait déjà consacré un volume sur le voyage en Amérique de 1791. Cette fois, mon père projetait de recenser les femmes que l'écrivain, grand coureur de jupons devant l'Éternel, avait désirées, convoitées ou fantasmées, pour la plupart possédées. Rattrapé par la maladie, Joe J. n'avait pas eu le temps d'explorer les innombrables bouches auxquelles l'auteur des *Mémoires d'outre-tombe* avait goûté, toquant juste à l'émail des premières dents de lait.

Lucile, la sœur adorée. Celle qui féconde et épuise l'imagination comme un feu. Qui sculpte un idéal entre le refuge et l'interdit. Qui offre, à la distance d'une messe basse, un perchoir au vacarme du cœur.

Céleste Buisson de La Vigne. Celle qu'on épouse comme on s'engage pour de longues études, puisqu'il faut bien avancer dans la vie, faire plaisir et honneur à la famille ; et tant mieux si le devoir, quand il passe une tête dans votre quotidien, est doté d'une complexion agréable. Entre-temps, mon père avait bien tenté de retrouver la trace de beautés autochtones croisées par l'auteur d'*Atala* pendant son expédition dans l'Ohio – et demandé pour cela à une infirmière compréhensive l'aide de la morphine –, mais les formes enchanteresses d'Iroquoises et de Peaux-Rouges aux seins nus s'étaient calquées dans son esprit sur celles des jolies Tahitiennes peintes par Gauguin.

Ensuite, pour le jeune Chateaubriand tout juste âgé de vingt-quatre ans, l'histoire avait tonné ; il y avait eu la débâcle de l'armée des princes, la fuite à Jersey et le refuge à Londres. Le dernier chapitre amorcé par mon père, laissé en friche dans son cahier d'hôpital, portait pour seule mention « LONDRES. ABBAYE DE WESTMINSTER » et ne comportait, dès la page suivante, qu'une ligne dérisoire accompagnée d'un intrigant point d'interrogation : « LA PETITE SONNEUSE DE CLOCHES ? »

« LA PETITE SONNEUSE DE CLOCHES ? »

Ce point d'interrogation scintillait comme une flé-chette envoyée sur une cible en sisal accrochée dans un pub et qui n'atteint jamais son but, qui disparaît après son lancement, fusée perdue sur les radars de cap Canaveral.

Je ne saurais dire, sur le moment, si c'est l'évoca-tion de cette petite sonneuse de cloches ou ce point d'interrogation qui m'intrigua au point d'en nourrir une vive obsession. Ou plutôt que m'intriguer, me révolta. J'en voulais, je crois, à Dieu et à la maladie, d'avoir emporté mon père loin de préoccupations acquises avec patience en lui laissant le regret d'un point d'interrogation.

Dans notre petit pavillon de banlieue, je retrouvai ma mère – elle avait fait le trajet depuis l'hôpital avec un couple de voisins – digne sous des pelletées de cha-grin, toujours impeccable et se tenant droite dans l'affliction comme on le lui avait appris depuis l'en-fance. Par précaution, nous évitâmes ce jour-là elle et moi de croiser nos regards pour que ni l'un ni l'autre n'y trouvât ne serait-ce que l'amorce d'une larme prompte à déclencher les siennes en torrent.

La laissant au thé qu'elle préparait dans le séjour, et sous prétexte de passer un coup de téléphone urgent, j'allais m'enfermer dans la bibliothèque de Joe J. pour mettre la main sur le premier volume des *Mémoires d'outre-tombe*. Le chapitre cinq du livre dixième men-tionnait à peine la présence de la petite sonneuse de cloches. Voici ce que l'écrivain relatait de cette fameuse nuit où, échappant à la vigilance des gardiens de l'abbaye, il s'était retrouvé enfermé jusqu'à l'aube dans Westminster, parmi les tombeaux des souverains et des personnalités illustres du royaume :

J'avais compté dix heures, onze heures à l'horloge ; le marteau qui se soulevait et retombait sur l'airain était le seul être vivant avec moi dans ces régions. Au dehors, une voiture roulante, le cri du watchman, voilà tout : ces bruits lointains de la terre me parvenaient d'un monde dans un autre monde. Le brouillard de la Tamise et la fumée du charbon de terre s'infiltrèrent dans la basilique, et y répandirent de secondes ténèbres. Enfin, un crépuscule s'épanouit dans un coin des ombres les plus éteintes : je regardais fixement croître la lumière progressive. Émanait-elle des deux fils d'Édouard IV, assassinés par leur oncle ? […] Dieu ne m'envoya pas ces âmes tristes et charmantes ; mais le léger fantôme d'une femme à peine adolescente parut portant une lumière abritée dans une feuille de papier tournée en coquille : c'était la petite sonneuse de cloches. J'entendis le bruit d'un baiser, et la cloche tinta le point du jour. La sonneuse fut tout épouvantée lorsque je sortis avec elle par la porte du cloître. Je lui contai mon aventure ; elle me dit qu'elle était venue remplir les fonctions de son père malade : nous ne parlâmes pas du baiser.

Mon père avait dû avoir une sorte de révélation en lisant ce passage. Une irrépressible envie de connaître le fin mot de l'histoire. Comme s'il allait dénouer un des grands mystères encore en suspens de la littérature française. Or, la réalité de cette fille oscillait entre le fantôme et le baiser. Avait-elle seulement existé ? C'est probablement ce que Daddy cherchait à savoir avant son trépas. Il avait simplement pris trop de temps pour y réfléchir, et la maladie alliée à la canicule de l'été 2003 lui avait fait un croche-patte déloyal, peu sympathique quand on a une copie à rendre, mais définitif.

## 4

Il existe à mon sens deux sortes d'individus dans la manière d'échapper à un chagrin trop brutal : ceux qui se jettent sous le dernier métro et ceux qui se précipitent dans le premier train. Bien heureux d'être des seconds, je projetais de réserver un billet d'Eurostar une fois la période douloureuse des funérailles derrière nous. Dans cette poignée de semaines éprouvantes, assaillis, ma mère et moi, par toutes les formalités auxquelles il faut répondre avec un courage dont on ne se sent jamais capable mais qui revient toujours, j'errais le plus vaillamment possible, accumulant les souvenirs et les chagrins comme des cristaux de neige qui finissent par donner une de ces pentes bien lisses sur lesquelles, enfant, traînant par la corde une luge en plastique rouge, je pouvais me laisser glisser sans penser à rien.

Mon père n'était pas entré dans une église depuis fort longtemps. À la Sainte Trinité, chérie par ma mère, il préférait le tiercé du centre commercial voisin.

Chaque dimanche, nous nous retrouvions après la messe sur le parvis de l'église pour aller ensemble au marché, où, invariablement, mes parents m'offraient un poisson rouge à l'étroit dans sa petite bulle en plastique remplie à moitié d'eau. Ensuite, vers midi, le chat de la maison s'approchait du bocal et assistait stupéfait à la résurrection du poisson rouge. Ce n'est que longtemps après que je supposai qu'en raison d'origines familiales dont on n'avait jamais fait mention à la maison, Daddy restait à la porte de l'église, tandis que ma mère, fervente catholique, espagnole par sa mère et belge par son père, m'avait depuis la naissance consacré à la Vierge en m'habillant de bleu et de blanc jusqu'à l'âge de sept ans, assistant avec bonheur à chacun des sacrements que je passais comme des dan de judo, du baptême à la confirmation. Cette fois, au sein de l'église, la présence de mon père embastillé dans son cercueil était sursollicitée. Pas moyen de s'évader pour aller faire son tiercé ou passer trois quarts d'heure pendu au téléphone avec une étudiante sensuelle et lui expliquer dans un style très durassien que ce n'est pas parce qu'*il n'y a pas de vacances à l'amour* qu'on ne peut pas partir tous les deux pour un petit week-end secret.

Pendant la cérémonie, j'avais évité de lire un passage de son bien-aimé Georges (Bataille), et avais improvisé sur l'homme (encore approximatif) qu'il avait fait de moi, la pudeur m'empêchant d'exprimer de manière vigoureuse le chagrin trop réel qui me tombait dessus.

Une fois l'église vidée de ses tendres pleureurs, je restai un moment à écouter les cloches tinter, cherchant à apercevoir si, par une porte dérobée, une frêle et jolie sonneuse allait finir par s'échapper. Ç'aurait été un de ces moments qui justifient l'existence passée sur terre, j'imagine. Mais il n'arriva pas. Alors je revins au cahier de liaison de Daddy avec ses infirmières, et confiais à ma mère mon projet de partir à Londres enquêter sur cette histoire de petite sonneuse de cloches.

Sans poser de questions, elle me mit en relation avec un collègue de mon père, le professeur de lettres Marin Maret qui, désormais à la retraite, vivait à South Kensington, quartier prisé par les expatriés français. Par fidélité à Joe J., il pourrait probablement aiguiller mes recherches une fois sur place. Nous échangeâmes deux ou trois mails dans lesquels le cordial septuagénaire m'encourageait à différer mon voyage jusqu'au mois de novembre : la poignée de semaines d'intervalle lui donnerait ainsi le temps de prendre des dispositions pour m'apporter le plus de réponses possible ; en outre, novembre était un bien meilleur mois que le début de l'automne pour écouter les cloches de l'abbaye tintinnabuler.

Octobre ou novembre, au fond, cela m'indifférait. Je demeurais plutôt libre de mes mouvements. Pour toute activité, j'écrivais des horoscopes dans un journal gratuit distribué dans les fast-foods. Mes meilleures saillies étaient au mieux recouvertes de taches de graisse ou de souillures de mayonnaise. Ma dernière relation sérieuse avait duré deux ans. Johanna faisait partie de cette secte sybarite, altière et mystérieuse des filles dont le prénom se termine par « a ». Elle travaillait dans l'événementiel. Mot magnifiquement creux, fabriqué au début de notre siècle. Des heures la nuit, en plus des horaires de bureau. Ce qui me laissait du temps pour réfléchir aux horoscopes. Mais parfois, quand j'imaginais la horde de gens neufs – il en suffirait d'un – qui lui tournait autour, je tombais dans une atonie sans remède, qui pèche en efficacité quand on est censé produire des textes dont la lecture promet d'offrir à ses contemporains une sensation de bien-être, une vision aérodynamique de leur journée. Dans la case réservée au signe des Poissons, mon paragraphe se terminait de façon invariable par : « Faites-vous plaisir et rentrez tôt ce soir à la maison. »

Notre histoire avait fini par s'abîmer. Si l'amour est de trouver le compromis idéal entre la redondance et le rebondissement, nous n'y étions jamais parvenus.

J'étais donc seul depuis quelque temps et je pouvais m'embarquer pour Londres libre de tout lien, sans rendre de comptes à personne, décidé à résoudre le dernier point d'interrogation laissé sur cette terre par mon père.

## 5

Je partais avec de trop encombrants bagages et de bien maigres indices. Ayant passé les contrôles, assis dans la salle d'attente, puis installé dans le train, je ne quittai pas mon tome premier des *Mémoires d'outre-tombe*. Cela intrigua mon compagnon de siège. Un homme d'une soixantaine d'années, à la stature imposante, visage marmoréen serti de deux yeux bleus, sourcils broussailleux anthracite, et cheveux montés en cumulonimbus qui l'obligeaient probablement à toujours se vêtir d'un imperméable. Le journal déplié devant lui relatait le lancement de l'opération *Cyclone de lierre* des Américains en Irak, et à côté d'un gobelet de thé en carton recyclable était posé un livre intitulé : *Why Harpo doesn't Talk ?*

Il se désolidarisa de sa lecture pour s'intéresser à la mienne, avec cet accent tranchant des Européens de l'Est qui ont fait de la rive gauche de la Seine, depuis leurs études à Paris, un asile insubmersible.

« Ce n'est pas banal de lire Chateaubriand de nos jours…

— Vous trouvez ?

— Oui, vraiment. Surtout dans l'Eurostar. Générale-ment, les jeunes hommes lisent plutôt des livres de management ou des journaux de finance internatio-nale. Vous devez être quelqu'un de très profond.

— Oh, dis-je avec un sourire, la profondeur, je ne m'y risquerai pas de trop près. La profondeur, c'est sou-vent l'affaire des noyés. »

Il rit de bon cœur, ce qui m'encouragea à être plus prolixe.

« Si j'ai ce livre avec moi, c'est que je pars à Londres pour enquêter sur Chateaubriand.

— Enquêter ? Ah ? Vous écrivez une thèse ?

— Pas vraiment. Une enquête familiale, en quelque sorte.

— C'est le Chateaubriand ambassadeur qui vous intéresse ?

— Non, celui de son premier voyage à Londres. Trente ans avant qu'il n'y retourne dans des conditions totalement différentes et bien meilleures. Là, je m'in-téresse au Chateaubriand de 1793. Réfugié à Soho, jeune homme crevant de faim, miséreux, il veut deve-nir écrivain, mais il douille !

— Hum. Ce doit être une enquête passionnante.

— Eh bien, je n'en suis qu'aux balbutiements. Et tout part de là, dis-je en désignant le livre posé sur la tablette du siège. D'un passage des *Mémoires d'outre-tombe*. C'est peut-être idiot, mais un sentiment spécial me porte en avant, j'espère découvrir quelque chose d'inédit et d'intense.

— Dépêchez-vous, alors !

— Que voulez-vous dire ?

— Eh bien, dans la vie, quand les objectifs nous apparaissent, il faut s'en saisir. Ne plus perdre de temps.

Ce qui est long, c'est le chemin qu'ils font en nous pour paraître visibles. Mais une fois qu'ils sont là, il faut les cueillir. Je vais vous raconter une histoire. Je suis chercheur. Il y a une dizaine d'années, je dirigeais une équipe à Paris et nous travaillions depuis de nombreux mois sur un nouveau vaccin qui allait faire notre renommée et notre fortune. Nous travaillions sans compter les heures. Un soir, nous étions tout près d'arriver au terme de nos recherches, je réunis l'équipe et je leur dis : "Nous risquons l'épuisement, je vous propose que nous rentrions chacun chez soi ce soir, nous accorder une bonne nuit de repos, et demain nous conclurons nos travaux."

— Et alors ? Que s'est-il passé ?

— Le vaccin a été découvert dans la nuit par une équipe américaine. Sans que nous le sachions, des Américains travaillaient exactement sur le même projet que nous.

— Ça alors ! C'est dingue !

— C'est la vie, je suppose. Mais j'en ai tiré la leçon, et depuis, dès que je rencontre des personnes comme vous, exaltées par une recherche, je leur conseille de ne pas perdre une seconde.

— Ça va pour l'instant, je n'ai vu personne dans l'Eurostar se balader avec un livre de Chateaubriand sous le bras. »

Il me rendit mon sourire puis attrapa un masque de sommeil pour s'en couvrir les yeux, comme pour me signifier de manière totémique qu'il m'avait dit ce qu'il avait à me dire, et qu'en matière de rencontre, pour nous deux, il n'y avait rien de crucial à ajouter dans cette existence. Je me replongeais sans tarder dans la lecture des *Mémoires* et songeais au plan échafaudé par Daddy dans son cahier de liaison. Tu parles d'une enquête ! Une seule phrase en haut d'une double page blanche lignée tracée par la main hasardeuse de mon père, lequel, dans ses derniers jours, souffrait le martyre de devoir tenir un stylo pour se faire comprendre de son entourage alors même que la littérature avait été la grande affaire de sa vie.

Il me faisait l'effet de Gene Kelly, qui avait démocratisé la danse au même titre que Björn Borg avait rendu le tennis accessible aux joueurs du samedi après-midi. Gene Kelly, après avoir dansé comme un Cupidon en sneakers, avait par un sort malheureux vécu les derniers jours de son existence en fauteuil roulant.

Dans le cahier de douleur de Joe J., il n'était point fait mention des amourettes de François-René de Chateaubriand antérieures à la première période londonienne. Ni Mlle des Alleuz, ni Mlle Monnet, fille d'un professeur de minéralogie au Jardin des plantes dont le chevalier s'était épris avant de partir aux Amériques, n'avaient éveillé son intérêt. Le nom de la première, prononcé à voix haute, me faisait irrésistiblement penser à une de ces imposantes machines qui tirent d'affaire l'automobiliste hagard et découragé qui tombe sur deux centimètres de neige en Île-de-France ; coïncidence plus drôle encore, « dessaler » signifiait en argot ancien « déniaiser », « dépuceler » ; quant à Mlle Monnet, elle avait subrepticement éveillé l'appétit du chevalier féru de minéralogie et de botanique. Ce qu'on appelle sans doute une « belle plante ». Le désir impétueux que François-René éprouvait à son contact s'était fait connaître d'elle ; elle y avait répondu avec plus d'allant qu'il n'en avait d'appétit, ce qui avait permis à l'admirable biographe George D. Painter de conclure au sujet de Mlle des Alleuz et de Mlle Monnet qu'en amour « le succès est parfois plus embarrassant encore que l'échec ».

Dans les *Mémoires*, l'évocation de la petite sonneuse de cloches se poursuivait par cette phrase : « J'entendis le bruit d'un baiser, et la cloche tinta le point du jour. » Relisant le passage, encore et encore, à aucun moment, à la différence de mon père, je n'avais émis l'hypothèse ou commis la faute de lecture – mais y a-t-il seulement des fautes de lecture ? – que ce baiser ait pu être échangé entre la jeune Anglaise et l'écrivain français.

Joe J. avait-il mal lu ? D'autant que dans le texte d'origine, le baiser survenait avant le coup de cloche : « J'entendis le bruit d'un baiser, et la cloche tinta le point du jour. » L'attention de l'éminent professeur avait-elle survolé ce détail ? Sauté une étape ? Et s'il fallait dorénavant réviser tous les jugements de mon infaillible *father* à l'iris de sa monumentale bévue, était-il possible que les *Nouvelles orientales* de Marguerite Yourcenar dépassent à elles seules tous les courts romans de la période normande de Marguerite Duras ? L'esprit – ou pire que l'esprit, le cœur – de Daddy ne s'était-il pas laissé embrouillarder, comme la basilique gothique envahie par le *fog* londonien, par cette phrase finale qui avait eu raison de tout le reste dans sa désarmante splendeur : « Nous ne parlâmes pas du baiser » ? Avait-il compris, mon cher papa, ce qu'il avait bien voulu comprendre, ou bien était-ce Chateaubriand lui-même qui, derrière l'architecture d'une habile volée de phrases, avait dissimulé à ses contemporains qu'il avait épinglé à son tableau de chasse le baiser d'une Anglaise bien vivante dans le cortège silencieux des effigies royales ?

Tout écrivain, je suppose, sait qu'il y a des choses qu'il est périlleux de raconter telles quelles. Des choses qu'on ne peut que suggérer. Ne serait-ce que pour se distinguer de l'anecdote, du commérage. Des choses qu'il est bon de dissimuler derrière des caractères et des signes. Combien de messages secrets se cachent sous la panoplie anodine d'une description ? Combien d'histoires d'amour languissent, comme des sources de fleuve en attente, sous la pagaie d'une virgule ?

Les livres sont faits pour durer plus longtemps que les passions inextinguibles qui les commandent, mais ne les secouez pas trop, ils sont pleins de vérités tues que le cœur ne pouvait supporter de garder pour lui seul.

Une splendide verrière et les fenêtres d'un hôtel victorien majestueux, un escalator en pente douce, une pancarte qui déconseille vivement de porter une arme sur soi – quand bien même il s'agirait d'occire la petite vantarde virtuose qui joue *Bohemian Rhapsody* sur le piano laissé à l'usage du carnage des foules –, une version expéditive de l'établissement de thés et de marmelades Fortnum and Mason, une jolie marchande derrière un stand de cupcakes qui vous sourit avant de prendre le métro ou de gagner l'air libre, de courtes sirènes iridescentes qui se suivent et se poursuivent, des passants sur un trottoir plus lestes que des gouttes de pluie sur un carreau, voilà une brève et première injection de Londres.

J'avais réservé une chambre pas plus grande qu'une boîte à chaussures à l'hôtel Hoxton, dans le quartier d'Holborn où avait vécu Chateaubriand dès son arrivée, au printemps 1792, non loin de l'entrelacs des petites rues tumultueuses cuivrées par la pluie et marquées au fer rouge des enseignes de Soho.

Pour les éminents confrères de mon père qui avaient écrit à son sujet, se frottant au lustre de son intimité ou l'habillant par la suite de leurs fantasmagories, notre sonneuse de cloches ne valait pas tripette. Le comte de Marcellus, qui avait côtoyé Chateaubriand en tant que premier secrétaire d'ambassade dans la capitale anglaise trente ans après les faits, en 1822, mêlant observations personnelles et propos prétendument rapportés par l'auteur lui-même, affirmerait plus tard que l'histoire de la jeune Anglaise n'était qu'un « emprunt littéral fait à Longus » dans ses *Pastorales* : la légende de Daphnis et Chloé, dans laquelle, pour le récompenser d'une joute oratoire en son honneur, Daphnis fut gratifié par Chloé d'un baiser « pur, sautant en pieds, d'une gentille et toute naïve façon ».

Si cette resucée d'un conte pastoral n'apparaissait dans les *Mémoires* que pour la citation littéraire, étoffer un souvenir, terminer en beauté un chapitre, voire pour l'épate, la frime absolue, comme le suggérait le comte de Marcellus, qu'est-ce que je venais fabriquer à Londres ? Or, il m'était impossible de réveiller mon père d'un sommeil de pierre, même en faisant sonner tous les carillons de l'abbaye de Westminster, pour lui dire : « Papa, cette fois, tu seras réellement la risée de tout le corps universitaire, tu t'es mis le doigt dans l'œil. Ton Chateaubriand a cousu ses souvenirs personnels d'emprunts littéraires. Pas très finaud, l'asticot ! »

Selon Marcellus, la gamine n'aurait jamais existé. Il suffit peut-être simplement de relire le début de ce dernier paragraphe du chapitre cinq du livre dixième. Le mot « fantôme », sur lequel Joe J. n'avait pas même pris la peine de trébucher. Ce qui est excusable : du vivant de nos cœurs, bien sûr, aucun fantôme ne saurait rivaliser avec la promesse d'un baiser.

La seule façon de me sortir de ce fiasco annoncé était, peut-être, pour honorer la dernière obsession de Daddy, de me faire enfermer une nuit entière dans l'abbaye. Ç'aurait été un bel et ultime hommage aux deux hommes qui avaient brillé de leur influence, l'un dans les lettres françaises, l'autre dans ma vie intime. Toutefois, je me rabattais sur une solution moins périlleuse. J'avais lu que l'abbaye de Westminster possédait une bibliothèque à laquelle il était possible d'accéder pour y consulter de séculaires archives. Ma première idée fut de solliciter une entrevue avec la bibliothécaire pour savoir s'il existait un registre des sonneurs qui s'étaient succédé sans sourciller en ce siècle savant, suave et sanglant. Si tout était proprement conservé, le nom du père de la jeune Anglaise devait bien figurer quelque part. Les dates correspondraient. J'aurais une piste, un nom de famille ; du moins, serais-je tenté de dire, un premier son de cloche.

Je passai la nuit dans ma *shoe box* à écumer les programmes de Channel Four. J'avais acheté un repas sommaire chez Wasabi, grignoté des sushis en barquette en regardant une émission de *date* entre ex-stars du petit écran et parfaits inconnus. Une sorte de jusqu'au-boutisme télévisuel où, en règle générale, les parfaits inconnus, passé les cacahuètes de la fascination, déguerpissaient à toutes jambes en s'imaginant vivre une histoire d'amour avec ces bons tarés que sont les êtres en manque d'applaudissements.

Puis, au hasard du défilé frénétique des chaînes imprimé par la télécommande, un film sur TCM capta mon attention et me recentra sur mon enquête : *Funny Face*, de Stanley Donen, dans lequel, dès leur première rencontre, Audrey Hepburn et Fred Astaire échangeaient un baiser qualifié par ce dernier de « baiser par empathie ». Le dialogue proposait un twist malin : Audrey Hepburn, qui jouait une libraire babillarde et coincée, venait d'expliquer à Fred Astaire ce qu'est l'empathie : « C'est au-delà de la sympathie. La sympathie, c'est comprendre ce qu'une autre personne ressent. L'empathie consiste à projeter son imagination pour être en mesure de ressentir ce qu'elle ressent. Vous vous mettez à la place de l'autre personne. Suis-je suffisamment claire ? » Pour toute réponse, Fred Astaire s'approchait d'Audrey Hepburn et lui volait un baiser. « Pourquoi avez-vous fait ça ? » demandait la jeune femme, estomaquée. « Par empathie, répondait le plus naturellement du monde Fred Astaire, je me suis mis à votre place et j'ai pensé que vous vouliez être embrassée. »

Je revenais à mon cas : celui du chevalier de Chateaubriand, à moitié endormi ou pas bien réveillé, enveloppé de frissons cotonneux après une nuit inconfortable passée enfermé dans l'abbaye de Westminster. Était-il possible qu'accourue dans l'édifice pour faire sonner les cloches et le trouvant parmi les tombeaux dans une situation inédite, la gamine se soit risquée à lui donner un baiser *par empathie* ?

Vers dix heures, je descendais Shaftesbury Avenue, long fleuve urbain qui borde Chinatown, ponctué de théâtres, de magasins de disques et de comics, de *takeaway* et de cabines téléphoniques rouges contre lesquelles étaient appuyées des accumulations de vélos. Le matin était frais, le ciel dégagé. Au-dessus de ma tête les nuages couraient, aussi charismatiques que des pétales de corn flakes ; la pluie ne tomberait pas avant la fin d'après-midi. Dans un mail précédant de peu la date prévue de mon arrivée, l'ami de mon père, Marin Maret, m'avait expressément demandé de le retrouver le 17 novembre, jour anniversaire de l'accession au trône d'Elizabeth I$^{re}$, et où, dès midi trente, les cloches de Westminster sonnaient avec plus de ferveur qu'à l'accoutumée. Le professeur Maret était un soutien de taille ; il avait travaillé à diverses reprises avec Joe J. sur des colloques durassiens et lui avait servi de témoin dans ce que les universitaires appelaient désormais « La guerre des Deux-Marguerites », par allusion à la guerre des Deux-Roses qui avait opposé au XV$^e$ siècle la maison d'York à la maison de Lancaster.

En arrivant la veille, j'avais fait le trajet à pied depuis St Pancras International jusqu'à mon hôtel en passant par Russell Square pour visiter, d'une embardée sur la gauche, le quartier où Chateaubriand avait logé à son arrivée à Londres. De l'époque, bien entendu, il ne restait pas grand-chose. « La forme d'une ville change plus vite, hélas ! que le cœur d'un mortel », écrit Baudelaire. L'antique Horse Hospital aux briques noircies par le temps, qui, identifiable à son dallage en pierre, avait été créé en 1797 dans Colonnade pour accueillir les chevaux que les dures conditions d'un voyage Douvres-Londres avaient éprouvés, s'était transformé en fringante gargote à hipsters. Chateaubriand avait quitté Holborn peu avant la construction de cet hôpital pour un appartement situé au nord-ouest, dans le quartier de Marylebone. Je fis chou blanc en espérant saisir une atmosphère, une trace sensible ou magique de sa présence. Avec pour seul éclairage sur ma condition de mortel, saisi par l'impossibilité d'un voyage dans le temps, des jolies filles court-vêtues qui traversaient un passage piéton, un thermos de thé ou un gobelet de café à la main.

## 6.

Marin Maret, qui s'était proposé de m'accompagner à l'abbaye de Westminster, m'avait donné rendez-vous dans l'ambiance chic et feutrée du Wolseley (que je prononçais à la française : « Où est le soleil ? »).

Je posais la main sur une des deux longues barres latérales en cuivre de l'élégante et massive porte d'entrée, m'avançais sur le damier en marbre, et progressais à l'aveugle dans la salle de restaurant, où, sur ma gauche, de petites tables étaient agencées autour d'une console garnie d'une immense corbeille de pains dorés à la croûte sculptée, tous plus appétissants les uns que les autres. Je reconnus Marin à ses cheveux blancs qui remontaient derrière sa nuque en légères boucles, à son visage marqué de lignes autoritaires, à ses sourcils épais, rectilignes, ainsi qu'au col roulé de couleur crème et à la veste jacquard qu'il portait déjà sur un des clichés que ma mère m'avait montrés. Sur la couverture de l'album photo, je m'étais attardé sur la petite étiquette autocollante liserée de bleu qui portait pour indication, de l'écriture légère et ascendante de maman : « Les hommes autour de mon homme ».

Cet homme, parmi ceux qui s'étaient donc trouvés autour de mon père, n'était pas du genre à vous éclabousser de sa jovialité. De prime abord, il pouvait paraître hautain et glacial. Pourtant, quand il avait travaillé avec Joe J. à l'université Paris III, Daddy avait réussi à le dérider. Par son charme et ce mélange irrésistible de sérieux et d'imprévisibilité qui était sa marque, alliés à une générosité constante ; une générosité bien au-delà de la moyenne.

Le professeur Maret m'attendait en lisant le *London Evening Standard* de la veille, attablé, comme il me l'apprit par la suite, à la place favorite du peintre Lucian Freud, qui avait fait les quatre cents coups avec Francis Bacon dans le Soho des années soixante.

« Joachim ! »

Dans sa voix rauque et étranglée tourbillonnaient des miettes de pain pareilles à des oiseaux dans une volière. Je me dirigeai vers lui et le prévins du plat de la main de ne pas se déranger pour moi.

« Je suis désolé pour ton père. J'ai appris qu'il avait beaucoup souffert. »

Puis, il ajouta :

« Décidément, la vieillesse n'a pas plus de sens que la petite enfance.

— Que voulez-vous dire ?

— Les seuls moments où on peut apporter du sens à notre existence, c'est entre trente et cinquante ans. Le reste du temps, on est soit couvert de merde, soit trop susceptible. Allez, attrape un siège, mon garçon, et installe-toi ! »

J'obtempérai. La table était garnie d'une théière au bec élégant, d'une tasse en porcelaine à moitié remplie d'un thé noir fort infusé, d'une assiette de pain beurré coupé en languettes et de deux coquetiers chargés d'œufs frais, petits volcans au centre jaune et rougeoyant.

« Tu veux boire quelque chose ?

— Je prendrais bien un thé. »

Marin héla le garçon, qui semblait être habitué à sa présence. Il était sans doute, dans l'esprit du personnel, le Français qui vient s'asseoir à la table de Lucian Freud.

« *English breakfast tea ?*

— Oui, c'est parfait.

— Tu sais comment on appelle ça ? »

Marin désignait l'assiette de pain coupé posée devant lui.

« Non ?

— *Soldiers !* Des soldats ! Et pas des mouillettes comme chez nous ! Mouillettes, ça fait poule mouillée, tu ne trouves pas ? »

D'un mouvement d'épaules, je dégageai ce que je pris comme une allusion à peine voilée : l'embarras ou la retenue que je ressentais parfois face à la volonté d'airain de mon père, ma couardise dans certaines situations, un dernier niveau de plongeoir dans une piscine olympique auquel j'avais renoncé en chemin, d'autres activités que j'avais abandonnées au grand désespoir de Daddy, comme le tennis ou le piano. Je pris cette réflexion sur les soldats et les mouillettes pour une petite pique à mon égard, tant les personnes qui sont liées à des êtres disparus paraissent agir comme les ambassadeurs d'une conversation laissée à jamais en suspens. À la suite de ce préambule désagréable, le visage du vieil homme s'éclaira :

« Alors ça y est, tu es à Londres. Pour cette histoire que tu m'as racontée par Internet. Ta petite sonneuse de cloches ?

— Oui, dis-je dans un soupir libérateur, le peu de chose que je sais d'elle est proportionnel à l'immensité de mes attentes.

— Je vois… Je comprends… »

Le professeur semblait étudier mon visage avec un mélange de remontrance et d'apitoiement, comme s'il induisait que, bouleversé par la mort de mon père, je m'étais raccroché à un argument fluet, une lubie de crépon, un penny dans une tirelire de collégien, qui n'avait de sens à mes yeux que parce que c'était la dernière chose écrite de la main de Joe J.

« Tu sais, poursuivit-il, je ne sais pas pourquoi ton père s'est focalisé là-dessus. Est-ce seulement Chateaubriand qui lui donne son baiser, à cette petite bécasse ? »

Je fus surpris de la familiarité avec laquelle il venait de dire ça ; comme si, instinctivement, je souhaitais déjà que cette fille, lumière de cette histoire, m'appartienne davantage qu'à Marin, et qu'à quiconque, en somme. Je versai avec précaution dans ma tasse le thé qu'on venait de m'apporter, en pris une gorgée brûlante, et dis :

« J'ai lu et relu le passage des *Mémoires*. On ne peut pas savoir. Chateaubriand ne dit pas explicitement qu'il y a une tierce personne dans l'abbaye. Il écrit simplement : "J'entendis le bruit d'un baiser, et la cloche tinta le point du jour." Il ne fait aucune mention d'une troisième personne présente avec eux.

— Il y a toujours une troisième personne. »

Marin Maret avait eu au coin de l'œil une lueur espiègle aussitôt amortie par un regain de sévérité, comme s'il n'avait pu s'empêcher de faire une allusion aux rapports qu'il entretenait avec mes parents et à une possible relation un peu plus qu'amicale avec ma mère. « Les hommes autour de mon homme. » La phrase était suffisamment floue pour être suggestive. Et puis, ma mère avait toujours eu de jolies jambes. Quand on a de belles jambes, être caressé uniquement par deux mains, c'est chiche.

« Tu sais, les dernières phrases de quelqu'un, ça ne veut pas forcément dire quelque chose. Tiens, tu connais la dernière phrase prononcée par Marie-Antoinette avant qu'elle finisse sous le couperet ? Ses dernières paroles, à ce qu'on raconte, furent adressées au bourreau Sanson, à qui elle venait de marcher sur le pied : "Monsieur, je vous demande excuse. Je ne l'ai pas fait exprès." C'est proprement ridicule !

— Oui, dis-je, d'autant qu'elle l'a peut-être fait exprès.

— Donc, à l'hôpital, ton père a son carnet de notes avec lui, et qu'est-ce qu'il écrit ? "La petite sonneuse de cloches", suivi d'un point d'interrogation…

— Ce n'était pas vraiment un carnet de notes. C'était un cahier de liaison avec les infirmières. Parce qu'à cause du cancer, il ne pouvait plus articuler un mot. Un cahier à l'envers duquel, sur plusieurs pages libres, il avait dressé le plan de son prochain livre. Une histoire de Chateaubriand par ses amours, ses conquêtes féminines. Il avait le pressentiment que cette petite Anglaise des *Mémoires* avait eu, si je puis dire, un retentissement plus important dans le cœur de l'écrivain. »

Après tout, pensais-je, qui peut dire la place que prend telle ou telle personne sur l'instant ? Puis dans le souvenir ? Qui est suffisamment lucide, ou orgueilleux, pour connaître précisément le sillon qu'il creuse, l'importance qu'il laisse, dans le cœur de l'autre ? D'ailleurs, ne touche-t-on pas ici à la beauté de la littérature ? À son essence même ? À ce qui nous bouleverse dans les livres, au-delà de l'identification qui est toujours euphorisante ou rassurante. Je dis à Marin :

« Je poursuis cette idée que derrière une phrase en apparence banale, il peut se cacher un monde fabuleux ou déçu, un chemin qu'on n'a pas pris, un secret indicible, un espoir ou une promesse.

— Je connais davantage de livres où derrière une phrase banale se cache une écriture banale, dit le vieil homme dans un gloussement.

— Il s'agit de Chateaubriand.

— Bah, il publierait aujourd'hui, Chateaubriand, il serait noyé dans la masse des sujets à la mode. Et livré en pâture à l'avis péremptoire et bêta de personnes avec lesquelles tu n'irais prendre un verre pour rien au monde. »

Sa réaction avait tendance à me déprimer sévèrement. Je regardais derrière les vitres du Wolseley la publicité chatoyante et tronquée pour un film de Tim Burton étalée sur un bus à impériale qui filait vers Hyde Park Corner. Observant mon bref changement d'humeur, Marin fit un effort pour aller dans mon sens.

« Admettons qu'elle ait existé, ta petite sonneuse. Il y a un hic. Un truc tout bête qui ne fonctionne pas.

— Lequel ?

— Eh bien, comment une jeune fille peut-elle se pendre à une corde et la tirer de toutes ses forces pour faire retentir les lourdes cloches de Westminster ? Trop légère, la gamine. Elle n'aura pas fait le poids. C'est cela qui rend cette histoire improbable. Un baiser, après tout, pourquoi pas ? C'est léger, un baiser, ça n'a pas beaucoup de répercussion, peu d'impact. Ça n'a pas plus de consistance qu'un nuage qui court de Westminster à Whitechapel. Mais pour ce qui est de mettre ses mains sur une corde et de faire carillonner la cloche, c'est une autre paire de manches ! Viens, lève-toi, mon garçon, je te conduis de ce pas à Westminster. C'est notre jour de chance ! Les sonneurs sont réunis pour l'hommage à Elizabeth. J'ai le fils d'une amie parmi eux, pas un gringalet comme toi, non, un ancien champion d'aviron, médaillé d'Oxford, il nous fera pénétrer dans la salle des sonneurs et te convaincra mieux que moi de l'invraisemblance de tout ça. Tu comprendras par toi-même. »

## 7

Un quart d'heure plus tard, nous nous tenions devant l'une des entrées de l'abbaye de Westminster, près de la boutique de souvenirs, non loin des deux tours imposantes du portail ouest. Marin me désigna la statue de Martin Luther King placée dans une des niches inoccupées du portail parmi dix martyrs de l'église du XXe siècle.

Sans doute affaiblie par son voisinage avec l'exploit architectural du Parlement et de Big Ben, elle était moins impressionnante que certaines cathédrales qu'il m'avait été donné de prendre dans la figure au débotté d'une rue – Strasbourg, par exemple. Elle me fit l'effet d'une jeune fille au caractère bien trempé – joues en feu, cœur de marbre – qui aurait réuni ses prétendants dans un parc de trois milles mètres carrés pour jouer à saute-mouton avec leurs illusions.

Le professeur venait de téléphoner à son contact qui se trouvait déjà dans l'édifice. Au téléphone, il avait demandé à Marin de contourner la cathédrale par le Dean's Yard et de nous rapprocher du cloître. J'imaginais un homme corpulent cheminer à travers ce que Chateaubriand nommait « un labyrinthe de tombeaux », un parcours fléché de dalles et de statues où le chevalier avait passé une nuit presque blanche à accorder « son anxiété et son plaisir » aux royaumes à jamais abrégés des souverains disparus. Une nuit fabuleuse, peuplée de fantômes et de rêves. Pendant que nous patientions dans le vent, je dis à Marin :

« J'ai relu toute l'œuvre de Joc J. pour tenter d'y déceler une trace de son intérêt pour la petite sonneuse de cloches.

— Et alors ?

— Pas grand-chose. Mais si un livre appelle le suivant, comme c'est le cas pour pas mal d'écrivains, je pense que les pistes à trouver sont dans son dernier livre.

— Ah oui. Celui au titre compliqué.

— *Qui nous rendra le temps perdu à aimer un être inaccessible ?*

— C'est ça ! Beaucoup trop long ! Je lui avais conseillé : *Pure et simple perte de temps*. Je trouvais que c'était un bien meilleur titre. Plus net et plus juste. Flaubertien, même. Ton père m'a répondu "Merci Marin, c'est une idée remarquable." Et puis, comme d'habitude, il n'en a fait qu'à sa tête.

— J'ai relu aussi *Mécaniques de l'Amérique chez Chateaubriand*.

— Je vais te dire, Joachim, en Amérique, on aurait eu une vie différente, ton père et moi. Une réelle importance. Mieux récompensés de notre vivant. Là-bas, c'est le pays des universités. En France, la plupart des étudiants prennent leurs professeurs pour des pions.

— Vous aviez vos familles », dis-je pour adoucir son regret.

Il soupira. Il y avait quelque chose de lointain et

d'inaccessible désormais dans cette épopée seventies de leurs familles en construction.

« Et toi, mon garçon ? Tu ne t'es jamais marié ?

— Non.

— C'est idiot. Ça aurait fait plaisir à tes parents.

— Oui. Peut-être.

— Ta mère parlait toujours de toi en disant : "Si vous rencontrez mon fils, faites bien attention à ce que vous dites, c'est un garçon très sensible."

— Ah bon ?

— Je me souviens d'une fois où nous étions allés chez Bally, dans le quartier St Lazare, pour t'acheter une paire de mocassins. Elle avait dit à la vendeuse : "Faites-lui essayer les deux pointures, mais faites attention à ce que vous dites, c'est un garçon très sensible."

— Mais enfin, Marin, vous me faites marcher ! Je ne me souviens même pas que nous soyons allés ensemble, ma mère, vous et moi, dans le quartier St Lazare.

— Si tu ne t'en souviens pas, c'est que je devais me tenir à une distance respectable. Non, ce qu'il faudrait, c'est que tu rencontres une fille pour laquelle tu nourrirais un amour exclusif. »

Cette proposition me laissait bien songeur.

« Oh, vous savez, dis-je à Marin, l'exclusivité, c'est un château de sable aux douves remplies de larmes.

— Pauvre Joachim ! Tu dois avoir ce que Chateaubriand appelait "un cœur inexplicable". »

Dix bonnes minutes s'écoulèrent avant que l'ami de Marin ne nous fît signe dans l'encadrement d'une porte lilliputienne située à droite de l'accès prévu pour la fin des visites officielles. Damian, c'était son prénom, était un homme de taille moyenne, pas spécialement épais ni musculeux, qui arborait un pull de Noël sur lequel un renne goguenard buvait du Coca-Cola au goulot. Je fus réconforté en avisant sa corpulence ; pas besoin d'être taillé comme un catcheur de la WWE pour faire sonner les cloches. Toutefois, je déchantai au moment où il me serra la main. Je crus dans cette unique poignée lui laisser quatre doigts en guise de remerciements. Il nous précéda à l'intérieur de l'abbaye. Nous fit faire le tour du cloître et passer fugacement par le coin des poètes, qui se trouve dans le croisillon droit du transept. J'aperçus la clarté des lampes surmontées de petits abat-jour rouges qui illuminaient le chœur, ne sachant pas vraiment où donner de la tête au milieu de ces dizaines de sépultures extraordinaires et prenant soin dans le même tempo de garder un œil sur le sol qui était fort irrégulier par endroits.

« Il y en a du beau monde au mètre carré, dis-je à Marin.

— Oui ! C'est pour ça que les plus malins se sont fait enterrer avec leurs armes. Au cas où on essaierait d'empiéter sur leur territoire. »

C'est ici qu'a dormi Chateaubriand, me disais-je dans un état de grande excitation. Ici qu'il s'est retrouvé seul avec la petite sonneuse de cloches. Là qu'aura eu lieu ce baiser claquant qui clôt le chapitre cinq du livre dixième des *Mémoires d'outre-tombe*.

« Stop ! » ordonna Marin tandis que nous arrivions au niveau d'une chaise fort rustique au sommet sculpté en branche d'étoile.

Le professeur retint fermement par le bras le diplômé d'Oxford, et d'un geste rude et virevoltant, comme s'il s'était agi de franchir un attroupement de moustiques, dégagea les touristes néerlandais qui se tenaient massés devant la relique.

« J'ai une bonne nouvelle, Joachim ! Tu vois ce trône, devant nous ? C'est la Coronation Chair. La chaise du couronnement de presque tous les souverains après Edward I$^{er}$. La reine Elizabeth II y a été couronnée en 1953. Approche-toi, mon garçon. Regarde attentivement. »

Je m'approchai le plus près possible du cordon de sécurité qui séparait le trône du passage où s'agglutinaient les touristes, admirai le contraste de sa rusticité avec les quatre lions d'or qui en décoraient les pieds.

« Observe l'inscription taillée au couteau sur le siège, là où deux Elizabeth ont posé leur paire de fesses royales. »

Je lus ce qu'il me désignait à voix haute. Un graffiti d'époque : P. ABOTT SLEPT IN THIS CHAIR 5-6 JULY 1800.

« Ça alors ! »

Ravi de mon étonnement, Marin m'expliqua où il voulait en venir :

« Un grand nombre de littérateurs pensent que Chateaubriand était un mythomane, qu'il n'est jamais allé en Amérique par exemple. Eh bien, voici au moins la preuve que notre homme a très bien pu passer la nuit ici, qu'on peut échapper à la vigilance des gardiens et se laisser enfermer dans l'abbaye. Puisque c'est précisément ce qui est arrivé à ce jeune garnement, ou enfant de chœur, va savoir ! Peter ou Paul Abott, en 1800, qui aura gravé dans le bois l'exploit de son passage, pour le fixer à jamais dans le temps.

— Hum. Ça pourrait très bien être une fille. Pas forcément un Paul ou un Peter. Peut-être une Patricia…

— C'est l'heure, nous devons nous dépêcher ! Ça va sonner ! »

Damian nous rappelait à l'ordre.

Nous reprîmes au pas de course notre progression dans les dédales de l'abbaye. Atteignîmes un autre cloître, plus modeste que le principal, gravîmes une infinité de marches, pour nous retrouver dans une pièce aussi capitonnée qu'une salle de judo et dont le plafond était percé comme du gruyère. Dans chaque ouverture pendait une corde reliée indubitablement à une cloche, et qui dégringolait vers nous comme une liane. Une dizaine de cordes pour dix sonneurs.

Les camarades de Damian, la plupart en bras de chemise, affublés d'une cravate courtaude qui leur arrivait au sternum, nous enveloppèrent de leur regard mi-accueillant mi-dubitatif, et j'évitai les poignées de main en saluant à la cantonade. Si je devais un jour écrire un manuel de survie en territoire gothique, il est certain qu'en haut de la liste j'avertirais le lecteur de ne jamais serrer la main à un sonneur de cloches.

« Nous sommes à l'heure, dit Damian avec soulagement. Dès midi trente, nous sonnerons en l'honneur de la reine Elizabeth !

— Pas de photos ni de vidéos, s'il vous plaît, demanda un collègue de Damian. Nous tenons à garder notre anonymat. »

Marin se pencha à mon oreille pour confirmer :

« Les sonneurs de cloche de l'abbaye de Westminster sont de véritables rock stars. Il arrive que des fans un peu extrémistes les suivent dans la rue. Enfin, pas des Anglais, évidemment. Les Anglais ne suivent personne dans la rue. C'est tellement grossier. »

Cette révélation me rendit perplexe.

« Il m'est arrivé de suivre des personnes dans la rue, dis-je tout bas, de manière à ne me faire entendre que de Marin.

— Qui ça ? Des sonneurs de cloches ?

— Non. Des filles. Dans Paris. Entre Odéon, Raspail et St Germain. Jusqu'à la porte de leur immeuble ou une bouche de métro.

— Et après ?

— Et après, rien.

— Après, rien ?

— Non. Rien. J'en sais un peu plus sur elles.

— Si après rien, tu veux dire que le but de ta journée est d'en découvrir un peu plus sur des personnes que tu ne reverras jamais ?

— Je suppose que oui.

— C'est sans intérêt », s'empressa-t-il d'ajouter, le sourcil lourd d'incrédulité, comme si mon explication échappait totalement à sa logique.

Nous fûmes interrompus par un des collègues de Damian.

« Plus que cinq minutes avant le signal, les gars. Le temps de prendre notre collation. Celle qui donne son ardeur aux sonneurs ! »

À mon grand étonnement, je les vis tous sortir de leur sacoche ou d'une de leurs poches, enveloppées dans du papier aluminium et des *lunch boxes* aux coloris fluo, des petites boules de poils de forme ovoïde.

« *Scotch eggs !* me dit Marin, avec l'œil pétillant du fin limier. C'est donc cela, le secret de l'endurance de ces fiers gaillards. Il faudra que je goûte ça, un jour. Depuis que je suis à Londres, il ne m'a pas encore été donné d'en manger.

— Moi non plus, pardi ! »

Les sonneurs avalèrent leur œuf en chœur et chacun agrippa sa corde, laquelle, enrobée de velours rouge, offrait une prise solide à leurs mains tout en leur évitant de déplaisantes ampoules aux doigts.

Midi trente. Les cloches tintèrent. À grande volée. Un ruissellement d'airain, une source étincelante de sonorités rauques. Il se dégageait de cette opération franche et consciencieuse beaucoup de bonne humeur. Après la cérémonie, qui valait pour moi tous les feux d'artifice à musique braillarde sur les plages en été, je profitai d'un moment de répit pour leur demander, réquisitionnant mon anglais le plus limpide et attendant d'eux la réponse la plus franche possible :

« Messieurs les sonneurs, j'ai une question cruciale à vous poser. Une question qui motive mon voyage depuis Paris et ma présence parmi vous ce midi. Est-il possible qu'une adolescente, ou plutôt, et je cite un illustre auteur français, "une femme à peine adolescente", puisse être en mesure de se pendre de tout son corps à l'une de ces cordes et de faire sonner ne serait-ce qu'une seule des cloches de l'abbaye de Westminster pour célébrer le point du jour ? »

Je devais avoir prononcé ma phrase dans un état de grande agitation, car le sang me battait aux tempes et les hommes réunis dans la salle me regardaient maintenant comme si j'allais défaillir.

## 8.

Ils s'étaient tellement gaussés que, pourchassé par leurs rires ondoyants et sonores, je crus que la reine Elizabeth venait d'avoir droit à un second jubilé. À présent, Marin et moi suivions d'un pas toujours alerte le serviable Damian dans son pull de Noël qui nous conduisait jusqu'à la bibliothèque de Westminster. « En temps normal, nous expliqua-t-il, il faut s'inscrire pour obtenir un rendez-vous et interroger les archives, mais je connais bien miss Silsburn, la maîtresse des lieux, elle fera une exception si c'est moi qui lui demande : parfois il y a des sortes de cloches que je lui permets de faire tinter. » Je passai sur cette allusion salace accompagnée d'un clin d'œil entendu que semblait m'adresser le renne du pull de Noël.

La bibliothèque était située dans le côté est du cloître. Pour y accéder, nous dépassâmes une armée de plumeaux au garde-à-vous qui servaient à ôter la poussière du visage des monarques. Puis il fallut emprunter un long couloir et ne pas manquer une toute petite porte en bois rustique. Damian extirpa de sa poche une clé ancienne ouvragée avec la même satisfaction que le magicien tient à faire résonner parmi son auditoire sa surprise émerveillée – Tadam ! – et l'introduisit dans la serrure, qui marqua une certaine réticence à suivre le mouvement. Elle finit par céder et la porte s'ouvrit sur un nouveau couloir encore plus étroit au bout duquel se profilait la salle d'étude.

Cette pièce consistait en deux rangées parallèles de hautes étagères en bois chargées de livres dont la plupart avait été imprimés avant le XVIII<sup>e</sup> siècle. Chaque meuble comprenait quatre niveaux, le premier étant condamné pour y permettre l'installation d'une petite table de lecture. Certains ouvrages emblématiques, aux illustrations précieuses, étaient quant à eux conservés sous verre dans l'allée centrale. Quand la gardienne des lieux, brunette d'une cinquantaine d'années à l'adorable petit chignon, nous accueillit, j'eus la confirmation à la lumière soudaine qui émana de ses yeux de myope qu'elle n'était pas insensible au charme de Damian. La persévérance de l'infatigable sonneur la touchait droit au cœur. Peut-être lui avait-il glissé un message sonore identifiable par elle seule durant la cérémonie d'hommage à la reine ? Quoi qu'il en soit, miss Silsburn avait l'air ravie de cette visite impromptue et retrouvait l'envie de séduire son partenaire comme on renfourche une bicyclette après trois longs mois d'hiver.

Damian expliqua l'objet de ma venue. Mon père, célèbre professeur de littérature française, avait commencé l'écriture d'un ouvrage consacré aux exploits féminins de Chateaubriand, et il en avait rapidement conclu – ici, il prit un peu de liberté quant aux véritables avancées de Joe J. – que le chevalier, âgé de vingt-quatre ans lors de son premier séjour à Londres en 1793, avait eu une *love affair* avec la fille du sonneur de cloches de l'abbaye de Westminster – celui qui, en principe, était de service au point du jour. Tout ce récit épatant était ponctué des « Lovely ! » enamourés de miss Silsburn. Cela s'était produit en quatre-vingt treize, peut-être quatorze.

« Peut-être quatorze », dit la bibliothécaire en prenant un air consciencieux.

Elle se dirigea vers un coffre en bois peint, l'ouvrit péniblement et faillit disparaître à l'intérieur, pour finir par en extirper une pile de dossiers aux couvertures craquelées.

« Ici, ce sont les ordonnances de sonnerie. Là, les carnets de baptême des cloches. Attendez que je mette la main sur… les registres d'affectation et de présence… Quatre-vingt-neuf, quatre-vingt-dix… »

Damian, Marin et moi étions suspendus à ses lèvres.

« Onze… Mais… Ça alors, s'exclama-t-elle, il manque les années treize, quatorze et quinze ! Ah, la sale petite effrontée ! Comment ai-je pu me laisser abuser de la sorte !

— Que s'est-il passé ? demanda Damian.

— Ce matin, dès l'ouverture, une jeune femme a reçu la permission de travailler dans nos locaux pour un mémoire d'étudiant. Ça faisait des semaines qu'elle demandait à venir, mais pour une raison que j'ignore, elle rechignait à livrer son identité et à fournir les renseignements nécessaires pour être admise dans la bibliothèque. Enfin, bon, ce matin, elle s'est inscrite dans les règles. Elle a fureté un peu partout. Elle aura profité que j'avais le dos tourné pour glisser les registres dans son sac et les subtiliser.

64

— C'est vous qu'elle aura prise pour une cloche, dit Marin.

— Ça ne va pas se passer comme ça ! »

Miss Silsburn s'agitait comme si un assassin s'était introduit dans la basilique et qu'il n'avait pas encore pris l'avantage de quitter les lieux.

« De toute façon, j'ai sa fiche d'inscription avec son adresse et son numéro de téléphone. Je vais appeler la police. C'est un crime inqualifiable de voler un tel trésor, et dans l'abbaye de Westminster par-dessus le marché ! Vous vous rendez compte ? Les registres des sonneurs de cloches…

— Pour un forfait pareil, commenta Marin, en 1793 on l'aurait certainement jetée en prison, fouettée, violée plusieurs fois avant de l'écarteler puis de la pendre par le membre encore en vie.

— Inutile d'appeler la police, dis-je. Ni celle de 1793, ni celle d'aujourd'hui. Communiquez-moi toutes les informations en votre possession sur cette étudiante. Je vous promets de récupérer les documents au plus vite ! »

Ma détermination dut impressionner, car personne n'osa opposer une solution plus raisonnable à ma façon de voir les choses. Miss Silsburn acquiesça d'un ton résolu et s'empressa d'aller consulter l'agenda des demandes d'admission. Elle en revint souriante et victorieuse. D'après les informations que la jeune femme avait laissées, elle était elle-même bibliothécaire, s'appelait Mirabel Hunt, et travaillait dans une médiathèque de quartier, à Marylebone.

« Ah ! La petite voleuse ! s'écria miss Silsburn, qui ne décolérait pas. Elle aura sans doute imaginé que c'était tellement énorme que ça passerait inaperçu, que je ne remarquerais rien, que personne ne viendrait jamais consulter ce genre d'archives…

— Et c'est le cas ?

— Ma foi, depuis que je travaille ici, et ça va faire près de vingt ans, personne n'est jamais venu les consulter. Il n'y a qu'elle et vous. »

# II

## La petite sonneuse de cloches

## 1

Il jette un œil en direction des tours de Westminster qui émergent gravement de la brume et bifurque vers la berge. L'appel du fleuve, encore. Comme aux Amériques. Sa joue est aussi enflée que le plafond de la Lady Chapel, ou tiens, encore mieux, qu'une poche de pélican – pour faire plaisir au « gentil dentiste » qui avait tout l'air d'un méchant boucher. Le spectre de la dent arrachée le harcèle, son âme a les joues émaciées, son cœur est boueux comme un fond de Tamise. Ce n'est pas parce qu'il s'éloigne de la basilique que le souvenir de la petite sonneuse s'estompe. Comme après que les cloches ont tinté, on en perçoit encore le son. Et les grandes villes qui n'ont jamais suffisamment de rues pour y semer le chagrin. Autour de lui, c'est le vacarme des attelages, le craquement des roues cerclées de fer qui enfoncent le pavé, le crissement des essieux en bois, les invectives des colosses dressés sur leur charrette chargée à ras bord de charbon, dans le brouhaha des commerçants ambulants qui vocifèrent leur marchandise plus qu'ils ne la détaillent : Des lapins ! Du cresson ! Des pommes de terre !

Des maquereaux qui ont tourné de l'œil, débarqués à Bellings Gate entre trois et quatre heures du matin sans avoir trouvé d'acquéreur avant l'aube…

François-René se fraie un passage dans ce tumulte inévitable qui déborde comme une lave poisseuse. « *By your leave, sir !* » hurle le premier homme d'une chaise à porteurs qui manque de l'écraser. Le danger fait rouler à terre ses pensées, les disperse comme des pièces de monnaie échappées d'une bourse mal ficelée. Sur son chemin, un attroupement causé par une charrette chargée de bétail en route pour le marché de Smithfield, qui s'est égarée dans les ruelles étroites et dont les manœuvres hésitantes attirent badauds et pickpockets. Une vache s'affole, saute par-dessus les barrières de l'attelage et se retrouve sur la chaussée, apeurée, hystérique, sans trouver d'autre issue que de charger les passants qui s'enfuient à toutes jambes, en laissant pour certains leur perruque tomber dans le caniveau. De sa fenêtre, une mégère rigole salement à cette attraction pathétique. Pour finir, un employé de la compagnie des eaux laisse échapper le tuyau en bois qu'il soulève à bout de bras, se précipite en face de l'animal et l'assomme d'un bon coup de poing porté entre les deux yeux. Le public applaudit, rit à gorge déployée ; pas grand monde pour s'émouvoir du sort de la pauvre bête. François-René songe à cette foule déchaînée qui accompagne de cris joyeux, de l'autre côté de la Manche, les infortunés conduits à l'échafaud. Pas même la caresse d'un coup de poing qui vous étourdit avant de vous assassiner.

Poursuivant son chemin, il lève machinalement la tête et son regard accroche un étrange spectacle.

Au pignon d'une façade, un malheureux est retenu prisonnier, comprimé dans un panier suspendu. C'est la punition réservée aux guignards qui n'ont pu s'empêcher de miser de l'argent dans un combat de coqs alors qu'ils n'ont pas réglé la dette d'un précédent pari. Pour un peu, la vision de ce blâme ridicule le ferait sourire, mais voilà que ses traits se contractent à l'approche de l'hôtel Grenier.

Il pénètre dans la cour pavée, dépasse les valets d'écurie, lance un coup d'œil vers le seuil de l'entrée du bâtiment principal qui dégorge de monde – encore cette cohue fiévreuse qui se presse dans les étages en vue d'une entrevue avec Mme de Boufflers, espérant l'obole d'une perle détachée d'un collier, ou rien qu'une nouvelle apaisante en provenance de Paris ; dans l'escalier, il repère ce jeune garçon malingre qui distribue de l'eau chaude agrémentée d'une ou deux feuilles de thé dans des gobelets en étain pour réchauffer les plus frigorifiés, ceux qui, engourdis par le froid, peuvent s'endormir sur une marche et se réveiller directement dans l'au-delà, puis son attention se porte sur le comptoir en bois dressé contre le flanc ouest du bâtiment et sur lequel on met à disposition, dans les bons jours, des assiettes garnies de morceaux de pain aux épices. Pas de file d'attente. Seulement un homme en habit d'intendant coiffé d'un tricorne. Sans perdre de temps, François-René s'élance à sa rencontre.

L'homme est occupé à trier, dans trois seaux à purin de différentes tailles, des fins de bougie qu'il a dû récupérer dans les salons de l'hôtel et qu'il compte revendre à travers la ville.

En espérant que ses paroles seront audibles malgré son opération douloureuse de la dent, François-René desserre la mâchoire, et parle de manière brouillonne :

« Pas de distribution aujourd'hui ?

— Hein ? répond l'homme avec brusquerie.

— De pain, il n'y en a pas ?

— Pas le dimanche ! Les boulangers ne font pas de pain le dimanche.

— Pourtant, en arrivant ici j'ai vu des files devant les boulangeries.

— Ce sont les Anglaises qui vont faire cuire leurs tartes. C'est la tradition. Tous les dimanches, les boulangers mettent leurs fours à disposition. Mais pour nous, pas de livraison.

— Ah. Et la couturière ? Pour mon manteau. »

L'intendant observe l'accoutrement du chevalier de Chateaubriand avec un air apitoyé.

« Non. Demain ! Vous voulez voir Mme de Boufflers ? Traînez pas, y a déjà du monde dans les étages. Et du monde au balcon ! » conclut-il en un rictus complice qui dévoile une mâchoire édentée.

Abasourdi, le front dévoré par la fièvre, le chevalier ne bronche pas. L'homme demande sur un ton plus doux :

« Depuis combien de temps t'as rien avalé, mon garçon ?

— Je ne sais plus. Merci de vous inquiéter. Ce n'est pas bien grave. Je crois que je n'ai même plus faim.

— Ah ! dit l'intendant en soupirant. J'en vois tous les jours des dizaines comme toi. Des êtres qui deviennent des dangers pour eux-mêmes. Car c'est un mal d'avoir perdu jusqu'à la sensation de la faim. On dit d'ailleurs que c'est le dernier stade de la faim.

— Non, répond le chevalier, c'est le premier feu de l'amour. »

## 2

Il fait la route inverse. Toujours à l'état de flamme, d'impatience jamais rassasiée. Est-ce la petite sonneuse qui tire sur la corde de son cœur, de toute la légèreté de leur rencontre, de tout le poids de son absence ? Il suit le fleuve, sur lequel court un brouillard aussi consistant que de l'écume soufflée par le vent. On n'en distingue ni la profondeur, ni la surface. On appelle ça la pudeur de Londres. Cette brume graniteuse qui embrouille le regard et empêche qu'on découvre ce qui reflue de sordide ; ces corps dont on dit qu'ils dérivent par dizaines, buveurs de gin tombés à l'eau, victimes sans le sou d'un règlement de comptes, filles de joie au triste sort.

Les tours de Westminster, la fumée des cheminées, l'odeur du chocolat chaud qu'on sert dans St James Park et qui inonde le cœur ; un trottoir laissé à l'usage des pauvres, une ville faite pour le plaisir des riches. Cela devra-t-il exploser comme à Paris ? Pas certain. Ce n'est pas le travail qui manque, ici. La religion du travail est en marche. L'air est cuivré d'ambition, noirci de charbon, asphyxié de projets. La détresse est présente, mais seulement de passage. On ne lui offre guère le loisir de stagner. François-René atteint le quartier d'Holborn. Il faut qu'il trouve la force nécessaire pour se donner les moyens de devenir écrivain. La tranquillité d'esprit et l'orage dans le cœur. Il a des projets : le roman commencé aux Amériques et l'essai. D'ailleurs, il a parlé de son projet d'essai comparatif sur les révolutions au libraire Deboffe et au journaliste Pelletier. On ne peut mieux épouser l'ère du temps ! Les deux hommes ont des relations à Londres. Ils se sont montrés enthousiastes, et mieux qu'enthousiastes, intéressés.

Jean-Gabriel Pelletier, en sa qualité de journaliste, brasse et connaît du monde, et Deboffe, dont la boutique, située au 7, Gerrard Street, tient lieu de rendez-vous aux émigrés – les librairies françaises sont préférables aux cafés pour les migrants, autant d'oreilles qui traînent mais une seule langue qui circule –, a toute une liste de souscripteurs qui avanceront l'argent nécessaire pour l'écriture et l'impression. Le nom de Chateaubriand, ses ramifications et ses relations, a toujours de quoi impressionner ce petit milieu délétère ; et Pelletier, qui se souvient des retentissantes splendeurs de Julie de Farcy, la troisième sœur de François-René, du temps où elle tenait salon à Paris, s'est montré fort empressé à le prendre sous son aile.

Écrire, avancer. Les cinquante premières pages sont les plus dures, ensuite c'est *a piece of cake*, lui avait confié le vieux Malesherbes à l'époque où ils s'exaltaient mutuellement, penchés sur des cartes savantes, en préparant le voyage aux Amériques, suivant du doigt à la lueur des candélabres de son hôtel parisien les traces imaginaires de l'ultime expédition de La Pérouse.

Fiévreux, la silhouette comme une aiguille en cuivre tordue par une bourrasque, François-René pousse la porte de son logis, gravit à rudes enjambées les marches de l'escalier étroit qui mène à sa mansarde. Au passage, il manque de se prendre les pieds dans une pelle à charbon. Atteint le couloir et ses trois chambres. Pénètre dans la sienne et croit d'abord s'être trompé en voyant son camarade Hingant étalé de tout son long en plein milieu de sa paillasse.

François Hingant de la Thiemblay, le compagnon de misère rencontré sur le *Jersey Packet*, le bateau qui assure la liaison avec Southampton. Un de ces jeunes hommes effarés, sans ressources, fuyant comme lui la propagande du peuple et les rapports du Comité de sûreté générale, dont les appels intempestifs au meurtre conduisent à l'échafaud. François-René aurait aimé lui offrir un bout de ce pain aux épices qu'on distribue gratis dans la cour de l'hôtel Grenier. Pas aujourd'hui. Le pauvre camarade s'est endormi sans se déshabiller, parmi les innombrables livres qui jonchent la couche du chevalier.

À contrecœur, il s'approche, le secoue :

« Hingant ! Réveille-toi, mon vieux ! »

Il observe ce jeune homme au visage en goutte d'eau, aux cheveux blonds épars, aux yeux trop pâles pour s'endurcir en d'âpres combats, au corps affaibli par les privations.

« Ça alors ? dit Hingant, émergeant d'un sommeil en épis. François ? La joue que tu as ! Tu nous as rapporté une brioche ? Tu as caché un morceau de brioche dans ta bouche ?

— Non. On m'a arraché une dent.

— Ah. »

L'ami est déçu, prêt à sombrer de nouveau dans le vague. François-René lui attrape le bras, le soulève à demi, crée du mouvement.

« Allez, va dans ta chambre, j'ai du travail !

— Du travail ? Tu as trouvé du travail ? Tu es devenu boulanger ? Mieux, tu t'es fait engager dans une rôtisserie ? Tu passes le jus sur les poulets qui cuisent à la broche ? Ils ont toujours besoin de quelqu'un pour passer le jus sur les poulets, dis-moi que c'est toi ! Dis-moi qu'ils t'ont donné une louche, et que c'est toi qui t'en occupes. Quand est-ce que tu m'y emmènes ?

— Écoute, on ira à la taverne ce soir, c'est promis. Mais maintenant, j'ai du travail, et pas ce genre de travail. Je crains que, au labeur qui nourrit son homme, je n'aie préféré un travail qui apaise mon âme.

— Diable ! »

La déception creuse encore le visage d'Hingant. Il est suffisamment dépité pour accepter de retrouver le plancher du réel où poser ses pieds.

« C'est bon, je me lève. »

François-René pose son regard sur un des souliers engorgé de cire.

« Mon Dieu, tu es encore allé mettre une chandelle dans un soulier et tu t'es endormi ! Combien de fois t'ai-je répété que tu pouvais faire cramer la baraque !

— J'avais pas de bobèche », plaide Hingant.

Il attrape son soulier. Renonce à se chausser. Offre la figure la plus désolée qu'il ait à son répertoire.

« Je te laisse travailler, mais on se retrouve après ? Promis ? À la taverne ?

— Promis !

— T'étais où ce matin, mon François ? Je t'ai cherché partout ! C'est pour ça que j'ai atterri chez toi. Que j'ai voulu allumer une chandelle. Et puis je me suis écroulé sur le lit. Le sommeil m'a assommé comme un bandit. Au moins, quand on roupille, on ronfle trop fort pour entendre son estomac geindre, pas vrai ? Alors, t'étais où ?

— J'étais… Je n'arrivais pas à dormir… J'ai erré dans les rues… J'ai rencontré une fille.

— Dans les rues ?

— À Westminster.

— L'abbaye ? Tu es devenu anglican ?

— Tu m'épuises, à la fin. Je te raconterai tout ce soir, à la taverne. Allez, appuie-toi sur moi, pas trop vite sinon la tête va te tourner. »

Hingant s'aide du bras fraternel de François-René pour se dresser sur ses jambes. Il titube vers la porte comme un bambin fait ses premiers pas. Après qu'il a disparu dans le couloir, François-René s'écroule sur la paillasse au milieu de ses livres, le cœur au trouble, incapable de travailler à son essai, se replongeant dans la douceur de son échange avec la petite sonneuse. Il s'est senti revivre. Renaître – parmi tous ces tombeaux. L'horizon mouillé de ses lèvres a fait sens.

## 3.

Au 7, Gerrard Street, la librairie est sur le chemin du laitier. Deboffe a installée une petite cuisine sous l'escalier en torticolis qui conduit à la mezzanine. Au-dessus est aménagé un salon réservé aux lectures et aux conversations. Le rez-de-chaussée est encombré de rayonnages qui arrivent aux épaules de la plupart des clients, ce qui permet de consulter les livres qu'on pioche à hauteur des genoux. Beaucoup de vieilleries, d'antiquités. Deboffe achète par lots les malles des migrants qui ont fui les dangers d'une arrestation en France ; des ouvrages souvent en si piteux état qu'on les imagine ballotés dans une traversée des Alpes à dos d'éléphant. Une belle collection de romans libertins, en vogue avant la Révolution, et qui rappellent à certains messieurs en exil la meilleure jeunesse qui leur ait été permis de vivre : celle qu'on passe à la merci du désir et à l'abri du besoin.

Une autre section rassemble les romans actuels qui bénéficient de l'aide de souscripteurs trouvés par le libraire lui-même et qu'il fait imprimer à Londres. Quelques romans – soit de pâles copies de *Werther* écrits par des hommes, soit des comédies grinçantes et licencieuses composées par des femmes –, mais beaucoup d'essais, de pamphlets, de réflexions sur la France qui chavire inexorablement dans la terreur, tant les jeunes écrivains de Paris qui ont pu conserver leur tête sont bien décidés à l'employer pour réfléchir. Une fois imprimé, l'essai que concocte François-René prendra place dans ce rayon.

Lorsqu'il arrive à la librairie dans les deux, trois heures de clarté que promet la ville en automne, sous un soleil pas plus orgueilleux qu'une lune dessinée à la craie, François-René est d'abord chiffonné d'apercevoir parmi les rayonnages la haute et expansive silhouette du journaliste Pelletier. Toujours fourré dans les parages, celui-là... Comme un placeur de théâtre qui voudrait tout à la fois assister au spectacle, l'avoir écrit, et jouer sur scène dans le rôle-titre. Dégingandé et chauve, avec une gerbe de cheveux poudrés qui descend du haut du crâne à la base du cou, il tente de présenter l'image du parfait gentleman ; or, un ou plusieurs détails témoignent dans sa tenue d'un don particulier pour le négligé : une boucle de chaussure en moins, trois boutons de pantalon qui ont sauté au niveau de ses bas. Les manches de sa chemise bouffent démesurément au-delà de sa veste comme pour rendre hommage au dernier dessert à la mode, la crème Chantilly. À moins qu'elles n'essaient, à la manière du cerf-volant, de profiter du vent qu'il brasse dès qu'il ouvre la bouche. Tout dans son accoutrement comme dans son attitude trahit l'approximation et l'excès qui naissent de l'anxiété de ne pas être considéré comme il le souhaiterait.

Chez le libraire, Pelletier rôde dans le coin des libertins, les fameuses années soixante-dix de n'importe quel siècle, consulte avec un évident plaisir *La Nymphomanie ou Traité de la fureur utérine* (1770), *Vénus en rut* (1771) et *Les Nuits de Marie-Antoinette* (1773), agrémentés d'illustrations explicites sur lesquelles l'œil se fixe, le poignet s'attarde, et la sensation glisse. Pour ses propres écrits, bien qu'il s'en défende, il court toujours après le clabaudage, enrobant l'inévitable parfum de scandale et ses conséquences irréversibles dans un bonbon de style. Il avait présenté des excuses à Mme de Vaudreuil : « Si je n'avais pas mentionné vos écarts avec ce gentilhomme anglais, un autre que moi l'aurait fait, et cela aurait été moins plaisant à lire, vous vous y seriez moins reconnue. »

Quand François-René a débarqué à Londres, le journaliste, exalté par le nom des Chateaubriand, les rouages de la solidarité bretonne qu'il pouvait se prévaloir d'actionner, et obnibulé par le rêve – depuis qu'il l'avait entrevue dans un bal à Paris – d'être présenté à Julie de Farcy, s'est imposé en amitié, trouvant même au chevalier un logement, pour Hingant et pour lui. François-René a rapidement compris que son bienfaiteur, sous le vernis de ses bonnes grâces, traitait tous les migrants bien nés de la même manière pourvu que sa mise en relation pût servir ses intérêts personnels.

« Monsieur de Chateaubriand ! s'exclame-t-il en voyant débarquer son compatriote dans la librairie. Alors, comment va la dent ?

— En moins, répond le chevalier.

— J'ai une nouvelle pour toi ! lance Pelletier avec satisfaction. J'ai entendu dire qu'un bateau fraudeur allait bientôt décharger en Angleterre un colis qui t'est directement destiné. Une pomme d'or.

— Une pomme d'or ? s'étonne François-René.

— Oui, enfin, un pommeau. Les pommes d'or qu'on trouve au sommet des cannes. Ta mère a pu en sauver un, et te l'a fait envoyer. Après, qu'il arrive à bon port, c'est une autre paire de manches ! Ha ha !

— Ma mère ? Tu as des nouvelles de ma mère ?

— Non, je n'ai de nouvelles de personne. Seulement des marchandises. Où en es-tu de ton livre ?

— Ça avance, dit le chevalier sans conviction.

— Deboffe aussi a une surprise. Deboffe ! »

Pelletier a placé ses mains en porte-voix en direction de la mezzanine. Puis, se tournant de nouveau vers François-René, sur le ton de la confidence graveleuse :

« Tu sais ce que tu devrais écrire ? Ce qui aurait du succès dans la société des lectrices ? Du divertissement. Qui leur rappelle les amours libres et les frissons d'autrefois. Tiens, l'autre jour, ici même, tu connais la marquise de Trayecourt ?

— Très peu.

— Charmante personne que la marquise de Trayecourt. Eh bien, tu sais ce qu'elle a demandé à Deboffe ? S'il avait un roman sur les nuits de la comtesse du Barry. Précisément le soir où elle déshabilla Mme des Roses pour la fouetter devant le roi en vue d'exciter son plaisir. »

Se déplaçant d'un pas vers la mezzanine :

« Deboffe ! Viens par ici ! Le jeune M. de Chateaubriand nous fait l'honneur de sa visite ! Je lui racontais pour la Trayecourt, son désir de lire une fantaisie sur les parties fines de la du Barry ! Pas vrai que c'est la vérité ? Deboffe ? »

Le libraire apparaît à l'étage. Quinquagénaire qui a emporté son petit bedon en exil. Coiffé d'une courte perruque grise et vêtu d'un habit fonctionnel vert prune en velours côtelé, son regard vitreux rappelle celui de la tortue domestique, d'autant que la découverte d'un nouvel auteur le stimule de la même manière que le reptile serait prêt à consentir à l'effort à la vue d'une feuille (de salade fraîche). Il a posé ses mains sur la rambarde ; sa taille s'encadre parfaitement dans la distance entre le plancher et le plafond sans qu'il ait à se courber, comme si le lieu avait été construit pour qu'il y trouve sa place partout, à la façon d'un livre dans une étagère.

« Ah ! François-René ! fait-il en dégringolant la vingtaine de marches qui mènent au rez-de-chaussée. Tu tombes à pic. J'ai à te parler. On a peut-être un secours inespéré. Je sais que c'est compliqué pour toi en ce moment, que tu ne manges pas à ta faim…

— Regarde-le, dit Pelletier. Bien sûr qu'il ne mange pas à sa faim. Il est tout pâle, tout fiévreux. Il ne tient debout que par l'opération du St Esprit.

— Ce n'est pas ça, répond François-René.

— Tous les migrants morts civilement en France et qui débarquent à Londres ont faim, c'est bien normal, dit Pelletier. Ton copain, celui à qui j'ai trouvé une piaule, comment il s'appelle déjà ?

— Hingant.

— Oui, Hingant. Ha ha ! Bientôt il en faudra deux pour le porter en terre ! »

Concentré sur la nouvelle qu'il a à annoncer au chevalier, le libraire trépigne, attendant que Pelletier daigne lui laisser une ouverture. Comme ce dernier ne résiste jamais au plaisir vulgaire de rire de ses propres blagues, le libraire en profite :

« Ma bonne nouvelle concerne ton projet d'écriture. J'ai trouvé une souscriptrice de grande qualité. Elle est aussi fine poétesse et travaille sur un roman. Elle s'est toujours intéressée aux arts, aux lettres, et… aux jeunes gentilshommes.

— Qui est-ce ? demande Pelletier fort émoussé.

— Une comtesse. Adélaïde de Flahaut de La Billarderie. Très belle femme, et très sensible, très intelligente.

— La comtesse de Flahaut ? s'écrie Pelletier. Ah ! mais bien sûr que je la connais ! Je lui ai déjà parlé de toi, François-René, tu penses bien ! Je suis content qu'elle se décide enfin à intervenir. Très belle, c'est un fait, très intelligente, aucun mérite quand on a du temps libre, et très sensible, ça, c'est une longue histoire. J'ai des tas d'anecdotes à son sujet. Quand tu penses que la mère sort tout droit du Parc-aux-Cerfs, le bordel de Louis XV.

— La mère de la comtesse ? demande Deboffe.

— Marie de Longpré, jadis adolescente d'une grande beauté. On raconte qu'elle a été enlevée en plein Paris par les rabatteurs du Parc-aux-Cerfs, qui l'ont, par chance pour elle, livrée vierge à Louis XV. Le roi de France a dû la baiser une ou deux nuits bien comme il faut, et puis par dédommagement, il l'a mariée à un fermier général. L'Ancien Régime, quoi !

— Eh bien, intervient François-René, tu en sais des choses mon brave Pelletier. Si j'avais ton savoir, je m'épuiserais en permanence. »

Le libraire, qui suit du bout du menton l'un et l'autre des interlocuteurs, s'immisce à nouveau dans la conversation pour la recentrer sur sa nouvelle :

« Mme de Flahaut s'est montrée très enthousiaste pour t'aider financièrement. Participer selon ses moyens à l'écriture de ton œuvre.

— Mon œuvre... Mon œuvre, dit le chevalier rêveusement. Je n'en suis qu'à l'aurore. Et l'aurore, dans mon cas, est parfois récompensée d'un baiser.

— Ah, je te reconnais bien là ! dit Pelletier avec satisfaction. Ça va plaire à la Flahaut ! Vous allez vous entendre comme larrons en foire. »

Au passage, il le gratifie d'une petite tape sur l'épaule.

« Si je suis dans le coin, je ferai les présentations.

— Oui enfin, je peux très bien m'en charger, dit le libraire, légèrement contrarié.

— Si ! dit Pelletier. Comme ça, quand Mme de Farcy arrivera de Paris, tu me la présenteras. »

Le chevalier blêmit.

« Pardon ?

— Ta sœur ? Mme de Farcy, quand elle débarquera à Londres...

— Je ne sais pas ce qui passe pour elle en France, ni où elle se trouve à l'heure actuelle », dit sombrement le chevalier.

Puis il retrouve un ton ironique pour s'adresser à l'opportuniste Pelletier :

« Je croyais que tu allais t'engager dans le corps des émigrés...

— Dans le quoi ?

— L'armée. Rejoindre l'armée anglaise et son corps d'émigrés pour la contre-Révolution.

— Pas du tout ! Je ne sais pas qui t'a raconté ça ! Il faut que je reste ici. J'ai un rôle de… liaison.

— De liaison dangereuse…, dit le libraire en souriant.

— Quand est-ce que je rencontre cette comtesse bienfaitrice ? demande François-René à Deboffe.

— Elle passe une à deux fois par semaine à la librairie. Généralement l'après-midi, et je suis prévenu le matin même par un de ses serviteurs pour que j'aie le temps de lui préparer une sélection d'ouvrages. J'irai te faire chercher chez toi dès l'annonce de sa prochaine visite.

— Parfait ! Je file, j'ai rendez-vous avec Hingant pour souper. Pelletier, si la pomme d'or que j'attends roule jusqu'à toi, ne croque pas dedans s'il te plaît ! »

François-René sort de la librairie, se mêle au trafic des tombées de nuit, les cabriolets jaunes des filles de Covent Garden, les messieurs aux abois dont le bord des chapeaux dissimule des regards concupiscents et inquiets, les petites mains qui rejoignent les coulisses des théâtres et des auberges, les paniers de saucisses qu'on porte dans les cuisines ; il remonte par les rues effilées qui grattent le ventre de Soho en direction de la taverne de Wardour Street.

## 4

La taverne où il retrouve Hingant est meublée de longues tables en bois où l'on peut tenir à huit, d'une volée de chaises et de bancs rustiques ; un des murs est orné d'une tête de cerf dont un des épois est brisé, triste trophée aux longs yeux soyeux ; un feu épais flambe dans une vaste cheminée dont les abords sont encombrés d'ustensiles de cuisine ; pour compléter l'éclairage, deux roues de cabriolet suspendues au plafond sont criblées de bougies sur chacune de leurs frettes ; une des roues se détache dangereusement, et la cire coule copieusement sur la table occupée par une palanquée de buveurs indifférents.

Les deux Français se sont choisi une place discrète et lancent des regards déments en direction des fourneaux. Les plats qui débarquent, tenus à bout de bras par des filles d'auberge aux joues colorées, les contournent sans jamais stationner devant eux.

« Vise-moi ces Anglais qui se gavent de flageolets au bacon, dit Hingant sur un ton plaintif, alors que nos compatriotes en sont réduits à se nourrir de salades de pissenlits cueillis sur les collines d'Islington !

— Pas la totalité de nos compatriotes.

— Ouais, enfin ceux que je connais. Ils ont la bourse plus vide que la prison de la Bastille au soir du 14 juillet.

— J'y étais, dit François-René. C'était infernal. La rage de la populace. Tu aurais vu ça… Des assassins que l'opportunité réveille.

— Je ne sais même pas pourquoi on vient ici, si on a juste de quoi se payer un godet d'eau chaude avec trois feuilles de thé.

— À cause de ta fameuse théorie.

— Ouais, sauf que c'est pas une bonne théorie. Elle ne fonctionne pas. Je croyais que l'odeur du ragoût tromperait nos estomacs. Mais c'est le contraire qui arrive. Le fumet enveloppant, la vue de ces plats extraordinaires qui nous passent sous le nez… Je vais devenir dingue, François.

— Moi aussi je deviens dingue. C'est comme avec la faim.

— La fin de quoi ?

— La fille dont je t'ai parlé. Celle que j'ai rencontrée à Westminster. Toutes mes pensées sont en permanence tournées vers la prochaine occasion de la revoir. Et je me dis que ça risque d'être pareil. Pareil qu'avec la faim. Si je la revois, ça ne va pas atténuer ce mal que j'ai d'elle, ça ne va faire qu'empirer.

— Si tu me racontais… » dit Hingant, qui tourne de nouveau, comme un tic nerveux, le visage vers les tables garnies de victuailles.

« Eh bien voilà : je cherchais l'inspiration pour mon essai. Le livre que je prépare sur les révolutions à travers les siècles. Je pensais que, dans l'enceinte de l'abbaye, déambulant parmi tous ces hommes illustres et ces reines extraordinaires, je serais en bonne compagnie. As-tu vu l'effigie en bois sur la tombe de William de Valence, le demi-frère d'Henri III ? D'une grâce toute féminine. Et le coussin sur lequel sa tête repose ? En champlevé de Limoges ! La céramique est reproduite sur le bouclier du comte. D'une beauté tranquille et apaisante. Ah, je n'en finissais pas de divaguer parmi ces splendeurs, ces vies d'exploits, ces mystères insondables. Perdu dans l'architecture de mes pensées, je n'avais pas vu l'heure tourner et je me suis laissé enfermer ! La mésaventure me ferait bien rire si le chagrin ne m'avait rattrapé par la suite. Le vent soufflait à déchirer le marbre. Il s'engouffrait par toutes les fentes, grondait dans les entrailles des caveaux, frappait les vitraux de ses mains blanches. D'abord apeuré, j'eus tôt fait de me réfugier derrière un sarcophage, près du mausolée de lord Chatham, dans le transept nord, sous la Mort brandissant sa faux. En chien de fusil dans le pli d'un linceul, je me calmais, me persuadais que le souffle des spectres des enfants assassinés d'Edward IV, le souffle de tous les fantômes de la tour de Londres, ne viendrait pas me déloger de ma cachette. Et alors, qui m'en délogea ? Plus puissant qu'un souffle, car plus doux qu'un souffle, un baiser ! Le brouillard avait profité de l'aube pour inonder la basilique quand j'ouvrais les yeux. Et là, au-dessus de moi : la plus belle des délivrances. Une jeune beauté comme tu n'as pas idée. Des cheveux d'or qui tombent sur ses épaules. Des petites oreilles qui en dépassent comme de jeunes faunes jouant dans un champ de blé. Des yeux d'orage aussi puissants que l'ardoise qui couvre le toit de Westminster Hall. Elle m'apprend qu'elle vient remplacer son père cloué au lit par une mauvaise grippe. Après s'être acquittée de sa retentissante besogne, car le père est sonneur de cloches, elle me délivre de mes songes en me délivrant un baiser. Deux fois délivré, quel destin ! »

Hingant grimace. Il dit, avec prudence :

« Que la fille aille rapporter la mésaventure à la police et tu vas te retrouver attaché au poteau à fouet de la prison de Millbank. On dit que la prison est si labyrinthique que même les gardiens s'y perdent.

— Trois pintes de la meilleure bière de Londres ne me feront pas oublier le goût de ce baiser. J'ai faim, mon ami ! Faim comme nous autres, naufragés d'une patrie qui se dévore elle-même tel le renard sous la toge du spartiate, faim de tout mon être, mais depuis que je connais les lèvres de cette fille, je le jure, j'ai soif et soif à nouveau d'une soif inextinguible que seul le goût de cette gracieuse personne pourra désormais étancher.

— Une fille qui te donne spontanément un baiser ? questionne dans le vide un Hingant incrédule. Je n'ai jamais rencontré une telle personne de toute mon existence. Il faut toujours les séduire. Ou les forcer. Ou les épouser. Ou les trois à la fois. Mais qu'une fille te donne spontanément un baiser, ça non ! Je n'y crois pas pour moi-même et, de ce fait, j'ai du mal à y croire pour quiconque. Je sais où tu es allé chercher cette histoire, mon ami. C'est la faim ! La misère de ta faim qui t'aura procuré de misérables visions. »

90

Bientôt, l'attention de François-René est détournée par les propos bruyants échangés à une table voisine. Trois solides Anglais ripailleurs relatent les événements de la veille. Une compagnie de porteurs de chaises a saccagé la vitrine d'un marchand de parapluies dans Oxford Road et est parvenue à s'enfuir avant que la police intervienne. En ce moment, la profession des porteurs de chaises voit d'un mauvais œil l'émergence des marchands de parapluies, la mode et l'engouement grandissants du public pour ces ombrelles individuelles qui protègent des intempéries. Le quidam continuera-t-il à emprunter une chaise pour aller de Soho à Bloomsbury, voire d'une rue à une autre, s'il suffit d'un élégant morceau de tissu qui se déploie au bout d'une tige pour se déplacer sans se faire saucer ?

« Si on n'agit pas tous ensemble, c'est la fin de notre business ! dit un des gars.

— Peut-être qu'il est déjà trop tard, dit un deuxième avec fatalisme. Peut-être que nous sommes condamnés à disparaître avec le siècle ? Que c'est juste la marche du progrès...

— Oui, eh bien, s'il marche, ton progrès, il veut éviter les nids-de-poule et les flaques d'eau ! Et pour ça, rien de mieux qu'une chaise. »

Hingant, toujours préoccupé, non par la conversation animée qui déborde telle une casserole sur le feu mais par les plats laissés en suspens sur la table sans qu'aucun s'en soucie, se tourne à nouveau vers son compatriote :

« Ça va refroidir ! Leurs bon Dieu de flageolets au bacon, ils vont refroidir ! Non seulement les Anglais sont distants avec nous, mais en plus ils le sont avec leur boustifaille. C'est dingue de faire la conversation pendant qu'il y a des plats fumants sous son nez ! T'en penses quoi, de leurs histoires ?

— On n'a pas à s'en mêler. C'est leur pluie, après tout. Nous autres, on a déjà réussi à passer entre les gouttes.

— Sais-tu seulement comment elle s'appelle ?

— Qui ça ?

— Ta petite sonneuse de cloches…

— Non. Le baiser m'a pris au dépourvu. En quittant la basilique, nous étions abasourdis, épouvantés, elle et moi, par la témérité de ce baiser. Et nous nous sommes quittés comme ça, sans nous dire un mot. À présent, je ne sais pas comment faire pour la revoir.

— Pas d'indice ?

— Pas le moindre.

— Elle est anglaise ! dit Hingant dans un élan d'optimisme.

— Oui, j'imagine que c'est un premier indice. »

Hingant se masse lentement le front et la racine des cheveux. Pose ses coudes sur la table, se prend la tête dans les mains. Il relève le visage, regarde fixement François-René. Il est de ces camarades qui estiment que trouver une solution pour un ami est un bienfait de l'existence, de la même manière que planter un arbre ou construire un pont.

« J'aurais bien une idée toute simple à te proposer. Parfois ce sont les idées toutes simples qui sont les meilleures.

— Soit !

— Eh bien, tu te laisses enfermer à nouveau dans l'abbaye ! »

François-René éloigne de la main cette tactique prévisible.

« Tu crois peut-être que je n'y ai pas songé ? Pauvre Hingant, tu n'imagines pas le froid qu'il fait là-dedans ! C'est un miracle qu'on ne m'ait pas retrouvé pétrifié comme un des gisants. Si je renouvelle l'expérience, dès l'aube je viendrai te réveiller en spectre.

— Je t'ai déjà vu en spectre. Je ne t'en ai pas parlé pour ne pas t'inquiéter, mais je t'ai déjà vu en spectre. Attends ! C'est tout simple ! Tu retournes devant Westminster au matin. Tu l'attends à la sortie. Voir si c'est elle de nouveau, ou si le paternel est revenu.

— Et si c'est le père ?

— Tu lui rends le baiser de la fille.

— Très drôle !

— Tu attends qu'il fasse sonner le carillon, et puis tu le suis dans la rue, à une distance réglementaire sans te faire repérer, ni inquiéter par la police.

— Ça va, en Amérique il m'est arrivé d'observer un pisteur iroquois au travail.

— Parfait ! Tu le pistes jusque chez lui. Au moins, tu connaîtras son adresse. Après, tu attends le moment opportun, quand sa femme et le bougre sont dehors, de préférence le soir, à la taverne ou au spectacle. Toi, tu seras à couvert de l'obscurité, et si ça se trouve, tu pourras te faufiler jusque sur son palier avant le passage de la ronde de nuit. Alors, tu vas frapper à la porte, tu te fais ouvrir par la jeune Anglaise et tu lui dis ce que tu as derrière la tête.

— Derrière la tête ? s'étonne sincèrement François-René. Mais je n'ai rien derrière la tête, j'ai tout sur le cœur.

— Quelle différence ?

93

— Eh bien, vois-tu, mon vieux, ce qu'on a sur le cœur, ça ne se dilue pas, ce n'est pas le jouet du vent. Ce n'est pas chassé par une autre pensée. Et même si ça rentre dans le crâne, ça ne se scalpe pas. Pas plus que ça ne se tranche au moyen de la foutue invention de M. Guillot qu'ils ont dressée place de la Révolution. Non ! C'est ici ! En moi ! En permanence. La naissance d'un amour, c'est une faim qui ne se trompe par aucun subterfuge. »

Hingant écarquille les yeux.

« Pourtant je croyais que tu étais… marié… avec… euh… une dénommée Céleste Buisson quelque chose.

— Buisson de La Vigne. C'est facile à retenir.

— Voilà.

— Oui. Eh bien quoi ! Ça n'empêche pas de tomber amoureux !

— Ah, eh bien si, quand même, ça empêche.

— Ah oui ? Et qui le dit ?

— Le clergé !

— Depuis quand le clergé s'y connaît en mariage ?

— *Good point !*

— Quand même… Qu'est-ce que je vais aller traîner devant chez elle ? Est-ce une attitude à avoir, suivre les gens dans la rue ?

— Tu peux te faire passer pour un colporteur. Les Londoniens ont l'habitude de voir des colporteurs faire le pied de grue devant leur porte.

— Je n'ai rien à vendre.

— Tu peux lui dire que tu es un marchand de souvenirs. Tu vends des souvenirs de France. Je ne sais pas si tu as remarqué, mais les gens sont toujours plus disposés à acheter des souvenirs d'un pays qui n'est pas le leur.

— Mes souvenirs ? Je n'ai aucune idée de leur valeur.

— Eh bien, si tu ne veux pas lui vendre de souvenirs, offre-lui un avenir !

— Les filles qui me plaisent vivent dans le présent.

— Eh bien, offre-lui un présent !

— Un présent ? Tu veux dire un cadeau ?

— Oh, et puis fais comme tu veux, à la fin ! »

## 5

Dès le matin suivant, François-René se tient devant l'édifice gothique, son chapeau en main, fiévreux d'impatience. Il fait les cent pas dans ses bottes boueuses. Ses bottes de l'armée des princes. Ses bottes qui en ont fait, des voyages, et qu'il a fait raccommoder par un cordonnier de Duck Street avec ses derniers deniers. Les deux tours de la basilique sont mangées par le brouillard, tout comme le goulot de la sinistre Pye Street, sur les terrains vagues de Tothill Fields, où des enfants en haillons se vautrent dans des tas de cendres fréquentés par les cochons. Sur le flanc de l'abbaye, Pye Street consiste en une enfilade de bâtisses pitoyables, un secteur nommé L'Acre du diable. Dans ces venelles infâmes composées de façades délabrées qui guettent le prochain incendie avec une curiosité malsaine, les trafics ignobles sont encouragés ; la canaille règne sur le quartier et les rondes de police se font rares. Pour qui a échappé à la guillotine, songe François-René, ce serait idiot de finir dans un coupe-gorge.

À présent, il ne quitte pas des yeux la porte de Westminster par laquelle la petite sonneuse de cloches l'a tiré de l'obscurité l'autre matin et, distraitement d'abord, puis de manière appuyée, louche sur les allées et venues matinales à l'entrée d'une taverne voisine. Des Anglais, peut-être un ou deux Français qui ont encore les moyens de se payer un petit-déjeuner. Il repère ses compatriotes à la manière embarrassée dont ils marchent. Cette fâcheuse habitude de cacher de l'argent dans leurs bottes. Voilà ce qu'on leur a conseillé de faire sur le bateau pendant la traversée, avant de prendre la diligence pour Londres, dans la crainte que les six chevaux ne soient arrêtés par le cocher au moment où, émergeant du brouillard, des bandits de grand chemin les rançonnent. Bien sûr, sous ces climats hostiles, il ne faut pas attendre des gredins qu'ils soient nés de la dernière pluie, et la première chose que les bandits demandent aux migrants apeurés qui tombent dans leur embuscade est de se déchausser. Raison pour laquelle ces dames et sieurs de la cour qui ont su se soustraire à la vindicte populaire se retrouvent pour la plupart pieds nus en arrivant à Londres, le cou à l'abri mais la gorge prise.

La porte s'ouvre enfin. Dans son embrasure, point d'Anglaise mais la silhouette d'un homme trapu et bedonnant, qui peste de ne pas trouver sous ses doigts engourdis par le froid la clé adéquate. Ce larron mange et boit trop pour un seul homme, estime François-René. Instinctivement, il éprouve à sa vue une telle aversion qu'il comprend qu'il s'agit du sonneur en personne. Le dompteur du carillon au son rauque, le père fouettard de l'adorable fille qui fait claquer ses baisers dans l'acoustique d'une église séculaire. Faire comme Hingant le lui a suggéré. Le pister. Selon la méthode des Indiens d'Amérique. Avec discrétion et confiance, en se fiant aux empreintes et en interprétant chaque signe.

Le sonneur a la démarche chancelante du soûlard qui fait tinter les verres de gin mieux que les cloches. Il dissimule ses petites foulées rapides sous sa bedaine comme des fourmis ingénieuses transportent un quignon de pain. Tandis qu'il s'apprête à contourner St James Park par l'est, il fait une halte dans la première taverne, en ressort au bout de vingt minutes, puis, à peine un pâté de maisons franchi, s'engouffre dans un deuxième établissement. À ce rythme, il sera bientôt invisible à lui-même, incapable de retrouver le chemin de son logis. Les minutes défilent, par fagots de vingt. Au bout de combien de temps arrivent-ils dans le quartier de Mary-le-Bone ? On entendrait sonner midi que François-René ne serait pas étonné. La matinée est perdue pour travailler. De toute façon, comment se mettre à écrire ? Il est trop tenaillé par l'idée de revoir cette fille pour avoir l'esprit à comparer les révolutions. Le sonneur ralentit son pas, paraît hésiter, se gratte la tête, pour enfin s'arrêter au seuil d'une maison de trois étages, un peu plus cossue que celles que François-René et ses compagnons de misère fréquentent. Une porte jaune. L'homme se débat à nouveau avec son énorme trousseau de clés ; l'anneau autour duquel elles pendouillent évoque les boucles que portent certaines squaws indigènes à leurs oreilles percées. Il tente une clé, une seconde, mais la serrure est rétive, alors il tambourine en hurlant : « Violet ! Violet ! » La porte jaune s'entrouvre. Une mince silhouette s'immisce dans l'embrasure. C'est elle ! La petite sonneuse. Et c'est donc ainsi qu'elle se prénomme : Violet.

# 6.

Une fois la porte refermée sur son trouble, un grand désarroi succède au feu intérieur d'avoir retrouvé sa trace. La sueur perle sur son visage. La fatigue et la faim se rappellent à lui, ce sont ces seuls titres à présent, depuis qu'en France il a été déclaré civilement mort. Sans allié immédiat, sans recommandation, il erre dans l'empêchement. Se met à marcher dans le quartier. D'un pas rapide, en rond. Un bloc de maisons après l'autre. Dans cette purée de pois mouchetée de charbon où le risque qu'un sabot de cheval vous cogne, qu'un tonneau vous roule dessus, que des brigands vous lardent de coups de poignard, ne tient qu'aux caprices du hasard.

Au bout d'une demi-heure d'égarements à plaquer la folie qui le guette sur le visage des passants, il croise un couple dont l'homme lui semble familier. Nul doute, c'est bien le sonneur de cloches qui marche bras dessus bras dessous avec une femme de petite taille, habillée de façon modeste, robe grossière en linon et souliers à talons plats. Ils se rendent probablement en visite quelque part, au parc pour une promenade, à l'étang à poissons situé à la lisière du terrain de chasse du duc de Portland, ou bien dans Oxford Road pour acheter un nouveau chapeau à madame. Depuis qu'elle a vu les Françaises dans les rues, quel spectacle étourdissant, tous ces petits boutons-d'or débarqués de Versailles qui se gâchent à étinceler comme ils peuvent dans les fumées crépusculaires de Londres. Sous leur influence directe, toutes les Anglaises à présent veulent jouir. Jouir enfin ! D'une frivolité assumée.

Le visage de cet homme bouffi par la boisson écœure la pureté du sentiment qui anime François-René. Il pense à Violet et se demande comment un être si grossier a pu engendrer une créature si gracieuse. Or, si l'on porte le propos plus loin que l'individu, et qu'on s'attache à l'idée que des comportements rustres et gras puissent à la fin produire de la beauté, il y aurait de l'espoir, des éclaircies à venir, pour la France.

Le couple se dirige vers le nord. Le bassin à poissons et le parc du duc de Portland. Vite, pas une minute à perdre ! Retrouver dans ce dédale de rues qui se brouillent à la tombée de la nuit la porte jaune derrière laquelle bat un frêle carillon. La nuit tombe si tôt en novembre. Elle laisse une bandelette mauve dans le ciel qui ne panse et ne cicatrise rien. Comment retrouver cette maudite rue alors que la tête lui tourne ? Revenir sur ses pas, retrouver des indices, une enseigne, un carreau fêlé. La voilà, échappée du brouillard tel un soleil laiteux. La voie est libre. Il suffirait de poser sa main sur la poignée. Entrer. Demander une explication pour le baiser donné. Mais en amour, toute demande d'explication est prise pour une plainte, elle vous affaiblit, vous fait tomber du piédestal, ou simplement de la pointe des pieds sur laquelle on s'était perché pour vous embrasser. Il pose sa main. La poignée tourne dans le vide. Violet est enfermée. Effrayé de sa propre audace, il fait un bond en arrière. Et si quelqu'un l'observait ? Il s'approche de la fenêtre. Il a pour alliée la caresse enveloppante de la nuit qui trébuche et s'étale. Les locataires de l'immeuble d'en face n'ont pas encore embrasé la mèche de la lanterne réglementaire que la cité ordonne de faire flamber jusqu'à vingt-trois heures. François-René colle son visage au carreau, repère les flammes de l'âtre et la découvre enfin, perdue, isolée elle aussi, exécutant avec méthode de gracieux mouvements de danse.

Ses bras fins flottent dans l'air, prolongent son corps. Ils sont comme les branches des ormes, ces hauts arbres plantés dans Londres parce qu'ils résistent à la poussière de charbon et qu'ils gardent leurs feuilles jusqu'au début de l'hiver. Violet dans un exil choisi. Sa silhouette se confond parfois avec une haute flamme. L'âtre semble chanter à son tour. C'est un duel grave et léger, virevoltant et profond, entre la flamme et la fille. On ne ressent plus le froid à la vue d'un tel spectacle. Londres peut geler jusqu'au matin, il n'y a plus rien à souffrir dans la proximité de Violet.

Cette danse, c'est la plus belle chose qu'il ait contemplée depuis longtemps. Que les effigies des tombeaux de Westminster paraissent statiques, inertes et inutiles comparées à ces mouvements gracieux. Au diable les Grecs, les Latins, et jusqu'aux Iroquois, au diable les heures passées à ressentir et transcrire, transcender et inventer, faire des phrases et guider des peuples pour laisser un nom dans une librairie, un royaume sur une colline, une descendance sur un empire, une concession de marbre dans une cathédrale, ou une croix dans un petit cimetière. Rien de plus éternel que de partager un moment vivant. Elle est là, la leçon de la beauté. Les yeux du chevalier s'agrandissent malgré la fatigue. Les cernes mauves courent toujours dans les bois de Combourg, où parmi les buissons et les ruisseaux se sont étanchés ses premiers troubles, ses pâles concupiscences d'aucune conquête. Quel capharnaüm autour de Violet. Elle a poussé méthodiquement les meubles pour pouvoir mieux danser. Oh, peu de meubles, l'intérieur n'est pas surchargé comme l'appartement parisien de sa sœur Julie, l'épouse du comte de Farcy, mais enfin, les meubles ont été déplacés. Le sofa usé jusqu'à la corde, une chaise en osier, le chariot à boissons. Soudain, à la faveur d'un mouvement, Violet en accéléré toupille droit sur lui. En un souffle, elle vient coller sa frimousse et ses mains au carreau de la fenêtre, à la recherche d'un peu d'air glacé.

Il a juste le temps d'anticiper, de bondir. En une volte-face, il se retrouve dos au mur, entre la porte et l'encadrement de la fenêtre. Une ménagère qui déambule sur le trottoir, son panier de linge entre les bras, lui jette au passage un regard réprobateur. Il s'écarte de la façade. File dans la direction opposée. Ne revient pas frapper à la porte jaune. Après tout, sur le seuil de la basilique, Violet l'a quitté sans évoquer un quelconque désir de retrouvailles. Cette pensée l'a coupé dans son élan. Quand l'avaleur de sabres n'a plus de lames à disposition, c'est le gris de la vie qui a sa préférence. Alors pour l'instant, piégé par ses pensées, il redescend vers Oxford Road.

## 7

Les jours suivants, il ne répond pas à son courrier,
ne fouille pas dans les journaux les braises des
batailles européennes, ne va pas traîner du côté de
chez la Boufflers, laisse le camarade Hingant seul à
ses fantômes, peine à concevoir son essai sur les révolutions. Plusieurs matins qu'il cogite, qu'il pactise
avec d'improbables dénouements. Se mêle comme une
silhouette de papier au trafic des cabriolets et des voitures de poste. Devient l'ami des façades, lui qui a la
corpulence d'une embrasure. Les nuits d'insomnie, il
se guérit à marcher sans relâche, pose sur les renards
fiers et faméliques des quais de la Tamise un regard
jaune, surpris mais calme, quasi fraternel.

Il relit *Werther*. Cette histoire le séduit, le dégoûte.
Le bouleverse à nouveau. Il pleure de rire au passage
du serin à qui la becquée est donnée. Quelles sima-
grées ! Il a envie de peaux qui se frottent, de sexes qui
se découvrent et se correspondent, de tempêtes rugis-
santes, de sauvagerie, d'amour fou. Il n'en peut plus,
de *Werther*. Il n'en peut plus tout court. Sa patience
est enfin récompensée. Il l'aperçoit dans le quartier, à

deux pas de chez elle, dans Mary-le-Bone. Il lui laisse quatre enjambées d'avance. S'engouffre dans une voie parallèle. Bifurque au moment propice. Le plan de la ville est étudié, ses godasses l'ont appris par cœur. Il emprunte un passage repéré à l'avance, à peine plus large qu'un couloir entre deux parois aux briques aile de corbeau. Accélère comme un marathonien pour surgir à l'angle du bloc suivant, et fond sur elle, Violet, dans les habits du hasard, au moment où la jeune Anglaise descend Beaumont Street.

Sidérée, elle le dévisage :

« Oh, c'est vraiment vous ? »

Il ne répond pas. Fait dorer son trouble comme on offre une épaule au premier soleil du printemps.

« Qu'est-ce que vous fabriquez ici ? demande-t-elle sur un ton redevenu ordinaire, ce qui gifle un peu la sensibilité du jeune homme.

— Et vous ?

— Rien de spécial. Je me rends à ma leçon de danse. »

Il ne commente pas. Il ne peut pas jouer la complicité et se trahir par la même occasion, lui signifier qu'il sait pertinemment qu'elle danse et, en conséquence, qu'il l'a observée, à la dérobée, le cœur bruissant, derrière un carreau sale. Pas plus qu'il ne peut lui avouer qu'il est revenu ce matin spécialement pour elle. Comme il paraît quelque peu ahuri, à cours de conversation et de sang, et qu'il continue sagement à descendre la rue à ses côtés, elle demande :

« Vous êtes certain que c'est votre direction ?

— Oui, oui, où aller d'autre ?

— Pourtant vous remontiez Beaumont Street…

— Je ne remontais rien du tout. Je suis fragile en ce moment. Un coup de vent, et je change de direction. Et puis arrêtez de me questionner. On ne s'est pas questionnés l'autre matin, que je sache ! Si vous voulez tout savoir : je redescends vers le British Museum, je fréquente leur salle de lecture. L'automne est précoce, il y fait bon, j'aime étudier.

— Oh, très bien. Ne vous fâchez pas, monsieur l'étudiant.

— Je ne suis pas étudiant, je suis écrivain.

— Ah ? Et qu'écrivez-vous ? Des articles ?

— Mais non, voyons, quelle idée ! »

Violet le regarde doucement s'exaspérer, de ses yeux frais et rieurs, aux orbites un peu creusés malgré son jeune âge. Elle se rapproche de lui, et demande, avec une tendresse retrouvée :

« Vous écrivez en quelle langue ? Parce que vous êtes français je suppose ?

— Oui, je suis de France, du moins de ce qu'il en reste. Le pays de la beauté et de la terreur. De la splendeur et de l'incendie. De la vigne et du sang. »

Elle n'écoute pas vraiment son envolée lyrique. Elle se rappelle ce jeune homme étendu comme un vagabond parmi les gisants de Westminster, et qu'elle avait trouvé beau dans l'émotion de le trouver là.

« C'est formidable d'être français ! poursuit-elle. Formidable, vous savez, parce que mon rêve à moi, c'est de voyager en ballon.

— Je ne vois pas bien le rapport.

— Eh bien le rapport, c'est que ce sont des Français qui ont mis au point le voyage en ballon. Les frères Montgolfier. Vous les connaissez peut-être ? »

En l'écoutant parler avec gaieté, séduit par le bonheur qui est le sien, apparemment, d'être à nouveau ensemble, et tout en évitant les multiples dangers de la rue, le regard du chevalier se pose, à la dérobée, sur sa nuque. Comme un oiseau qui trouve le réconfort d'une branche nue. Dans sa robe grise boutonnée, cette nuque est la seule nudité qu'elle offre au regard. Elle appelle la promesse d'une caresse, d'un apaisement. Il voudrait mordiller la base de son cou, le suçoter, y rouler sa tête ou y poser ses lèvres. Mais tout ce qu'il trouve à faire, c'est rectifier, avec désinvolture :

« Les frères *de* Montgolfier.

— Comme il vous plaira, monsieur de quelque chose, dit-elle sèchement.

— D'après mes informations, la famille a été anoblie par le roi. Sa Majesté eut d'ailleurs été mieux inspirée de fuir en ballon plutôt qu'en carrosse.

— Ce doit être formidable, voler comme un oiseau ! Quel idéal gracieux ! Nous trouvons dans la vie mille raisons de nous plaindre, alors que nous devrions être reconnaissants de la bénédiction qui nous a été faite d'être nés et de vivre dans une époque si moderne !

— Ah bon ? Vous trouvez ? Demandez à votre Premier ministre d'abolir l'écartèlement dans vos prisons et ensuite on pourra parler de modernité !

— Et bien justement ! Je ne vois rien de tel que le voyage en ballon pour prendre de la hauteur, s'éloigner de toutes ces atrocités, de la laideur de nos rues, et aller plus haut que les crânes abominables des géants Gog et Magog.

— Les crânes abominables de qui ?

— Ne me dites pas qu'en France vous ne connaissez pas Gog et Magog ?

— En France, je ne connais que des démagogues.

— C'est une légende ancienne. Voulez-vous l'entendre ? »

François-René se laisse envahir par une pensée sombre. Il envisage le moment présent comme un jeune étalon furibard qu'il faut en permanence apprendre à maîtriser. Il ne répond pas à la question. C'est une écharde, ce baiser isolé et qui ne revient pas – quand même, qui est assez inhumain pour se contenter d'un seul baiser ? –, une écharde cette connivence, une écharde cet amour qui naît on ne sait comment, qui s'empare de la volonté, teinte puis obscurcit chacune de nos pensées, de nos respirations, et qui persiste ensuite on ne sait jusqu'à quand. Pire qu'un hiver en ville. Il décèle chez Violet cette façon particulière d'être inconséquente avec sérieux qui le blesse et le séduit à la fois. Même la légèreté est dotée de sourcils. L'inconséquence seule, il passerait son chemin. Mais elle fait ça, comment dire, avec sérieux. Ses chagrins et ses joies lui apparaissent, au détour d'une phrase, à l'image de ces grands fleuves d'Amérique : on ne voit jamais la fin de vouloir en connaître la source. Il s'émeut aussi de ce tempérament insolent dénué de vilenie ou de méchanceté. L'insolence qui vous sauve quand vous êtes une fille à Londres ou à Paris. La belle insolence qui vous préserve de vous marier trop tôt et de vieillir trop vite.

« Je suis content d'être tombé sur vous aujourd'hui, dit-il. Parce que, si je ne vous avais pas revue par hasard, j'aurais pensé vous avoir rêvée.

— C'est vrai que vous étiez tout ensommeillé, l'autre jour, dans l'abbaye glaciale.

— Oui. Et puis je n'avais rien avalé.

— Vous n'êtes pas bien épais, dit-elle en l'inspectant de la tête aux pieds au moment où ils traversent Oxford Road. Faites attention aux attelages, ils pourraient vous aplatir !

— Savez-vous que parmi les tribus des Indiens d'Amérique, il y en a pour qui le jeûne est préconisé avant de partir à la chasse. Parce que le jeûne prédispose au rêve, et que les Indiens ont l'habitude de visualiser dans leurs rêves les parties de la forêt où le gibier se trouve.

— Et le gibier, c'est moi ?

— Vous outrepassez mes pensées. Mais oui, si je ne vous avais pas revue, j'aurais pensé vous avoir rêvée. Comme un Peau-Rouge.

— À moi de vous apprendre quelque chose, aucun Peau-Rouge n'est enterré dans l'abbaye de Westminster.

— Mais je n'ai pas rêvé. Vous êtes bien vivante. Comme fut vivant notre baiser.

— Notre baiser ? Vous voulez dire : mon baiser ! C'est vrai que c'était surprenant.

— Surprenant ? Ah ? Et pourquoi surprenant ?

— Surprenant avec le recul. Depuis que je sais que vous êtes français. Parce que ce baiser avait bon goût, or, j'ai lu dans *The Gentleman's Magazine* que les Français se lavent les dents avec leur propre urine.

— Quoi ? Mais c'est n'importe quoi, vos journaux ! Vous feriez mieux de lire des romans !

— Oh non ! Papa me l'interdit. Il a lu un article contre les dangers des romans qui ne mettent dans l'esprit des jeunes filles que des idées répréhensibles par la morale. Il paraît que les idées perverses s'y propagent comme le feu.

— Où est-ce qu'il a lu ça ?

— Dans *The Gentleman's Magazine*.

— Il n'existe pas un magazine pour les sonneurs de cloches ? »

Violet hausse les épaules.

« Et à part danser, demande le chevalier, que faites-vous dans la vie ?

— Oh, rien de spécial. J'apprends le maniement des aiguilles à tricoter et les rudiments du français. Toutes les jeunes Anglaises apprennent un peu de français.

— Ah bon ?

— Oui c'est à cause de l'invasion normande. Mais je ne fais pas qu'apprendre, je ne suis pas une charge ! Je donne aussi des coups de main à droite et à gauche. Tenez, trois jours par semaine, je travaille au cimetière de perruques d'Holborn.

— Un cimetière de perruques ?

— Oui, c'est comme ça qu'on l'appelle. Savez-vous que pour trois pences, le visiteur peut fouiller dans une malle de perruques usagées ? C'est au petit bonheur la chance, mais si la perruque que vous avez tirée ne correspond pas à votre tête, trop étriquée ou trop flottante, vous pouvez replonger une main pour la moitié du prix. J'essaie de récupérer ce qui peut l'être. Je m'use les mains à sauver quelques cheveux. C'est dommage parce que j'aurais aimé prendre des leçons de piano. Mais je crois que j'ai déjà les mains trop abîmées pour ça.

François-René jette un coup d'œil à ses mains. Elles sont d'une grâce admirable.

— Pas du tout. Vous pouvez très bien prendre des leçons de piano ! Le seul risque, c'est que votre professeur, par pure jalousie devant de si jolies mains, aura sans doute envie de refermer le clapet sur vos doigts.

— Bon, alors, vous voulez que je vous raconte la légende de Gog et Magog ? »

Ce qui plaît à François-René dans cette intention, c'est qu'elle lui permet de poursuivre le trajet en sa compagnie. Le bonheur du jeune homme se compte en rues gagnées sur le moment de la séparation. Soho, c'est épatant, parce que les rues sont étroites et longues. Il est impossible de se séparer en plein cœur d'une rue de Soho.

« Voilà pour la légende de Gog et Magog. Bon, vous n'avez rien écouté ! Vous étiez dans vos pensées, c'est charmant. Tant pis pour vous ! J'arrive à ma leçon de danse. »

Elle lui tend une main qui le fait grimacer en dedans. Cette main tendue remet en cause, dans le souvenir brûlant, la réalité limpide du baiser. Expérimentant, au moment de se quitter, sa gaieté comme un échec, sa bonne humeur comme un aveu de peu d'importance – Dieu qu'il aimerait qu'elle souffre un peu de cette nouvelle séparation et qu'elle le montre –, François-René rend les armes.

« Adieu, alors.

— Comment ça, adieu ? dit Violet avec entrain. Si vous êtes réellement un gentilhomme français, nous

nous reverrons dans quelques jours ! Votre compatriote, la comtesse de Flahaut, donne un bal pour
l'anniversaire de l'accession au trône de la reine
Elizabeth.

— La comtesse de Flahaut ? Ça alors !

— Oui ! Vous la connaissez ?

— Pas encore. Je veux dire pas bien, pas tout à fait,
mais oui, elle me connaît.

— Alors, nous nous reverrons là-bas. Je vais
aider au service. Mon père est en relation avec
M. Stewart, le butler. Il a besoin de petites mains.
Il m'a choisie tout de suite.

— En relation ? Je comprends, dit François-René
en s'assombrissant.

— Je serais embauchée pour la soirée.

— Et peut-être débauchée pour la vie.

— Ça, sûrement pas ! C'est une mascarade, vous
savez.

— La vie ?

— Non, la soirée des Français. À la suite du dîner,
tout le monde portera des masques. Si je suis suffisamment dégourdie pour en récupérer un, je pourrai me
mêler aux danseurs sans être reconnue.

— Être aimée sans être reconnue, c'est très noble.
Alors que le commun des mortels souhaite être
reconnu pour être aimé. Moi, cependant, si je me
trouve à cette soirée, ma main au feu que je vous
reconnaîtrai. Même derrière un masque, même les
yeux fermés.

— Oh, je sais comment les hommes fonctionnent.
Il y aura d'autres filles. C'est en ouvrant grand les
yeux que vous m'oublierez.

— Et s'il n'y a pas assez de masques ?

111

« — Je demanderai à M. Stewart la permission de danser. »

Il la contemple avidement.

Elle paraît toujours d'excellente humeur. Sans le nuage de se quitter sur le cœur.

Cela le froisse, l'enchante et le détruit.

« Donc nous nous retrouverons là-bas, n'est-ce pas ?

— Là-bas », dit-il tandis qu'elle disparaît sous le porche de la bâtisse qui abrite les leçons de danse.

# III

# Le cœur inexplicable

III

# Le cœur inexplicable

# 1.

Mon enquête prenait la tournure d'une chasse au trésor dans les rues de Londres. Qu'est-ce qui poussait une jeune bibliothécaire de Marylebone et un professeur de lettres de Censier-Daubenton en fin de vie à s'intéresser, presque au même moment, à une énigme autour d'un sonneur de cloches de l'abbaye de Westminster à la fin du XVIIIe siècle ? Était-ce la compétition qui aiguillonne les grandes découvertes, comme me l'avait raconté mon voisin d'Eurostar, ou existait-il entre eux un lien magique, et si oui, dans ce lien, quel était mon rôle ? Où était ma place ? En étais-je le messager ou la ligne d'arrivée ? Et d'ailleurs, la véritable quête de l'existence ne consistait-elle pas dans la recherche du plus grand nombre possible de ces moments magiques ?

Je remontais Regent Street, ses larges trottoirs et ses vitrines gigantesques bardées d'affiches publicitaires jusqu'aux hauts platanes de Cavendish Square Gardens, dont les branches dénudées se donnaient presque la main. Je passais devant le Wigmore Hall, construit par une manufacture de pianos à la fin du

XIX<sup>e</sup> siècle et dont la salle de concert était aujourd'hui réputée pour détenir l'une des meilleures acoustiques d'Europe. Derrière la porte vitrée d'un des innombrables cafés qui occupaient le rez-de-chaussée des blocs d'immeubles de même taille, dans le secteur d'Oxford Street, une femme découpait son sandwich avec les dents pour dessiner la carte de son pays rêvé.

Dans New Cavendish Street, j'identifiais rapidement la bibliothèque de Marylebone au moment où le dernier ciel bleu céruléen de quatre heures de l'après-midi s'apprêtait à couvrir les épaules du quartier.

C'était un petit local à l'angle de deux rues éclairé par de simples barres de néon qui, pour adoucir l'ambiance, étaient secondées d'une demi-douzaine de globes en papier, contiguïté des livres oblige. Aucune animation à l'intérieur. Comme si la bibliothécaire s'était absentée cinq minutes pour aller se chercher un café, et avait convié tous les lecteurs à se joindre à elle. Je posai une main hésitante sur la poignée qui s'ouvrit sans résistance. Parmi des étagères en bois qui m'arrivaient aux épaules, disposées sans fantaisie particulière, je goûtais un silence inquiétant qui contrastait avec le brouhaha des rues que je venais de traverser, le bruit de fond coutumier qui accompagne le citadin aussi distraitement qu'une écharpe nouée autour du cou. Baigné de lumière et de silence, on aurait dit un restaurant japonais aux heures creuses.

Un panneau suspendu doté d'une flèche autoritaire indiquait l'irruption d'un escalier vers une salle en sous-sol. Je descendis spontanément la volée de marches. Tentai à mi-chemin un prudent et peu sonore « *Is there anybody ?* » en pensant tout de suite au démarrage en trombe, mélancolique et tonitruant, de la chanson *Girl*, des Beatles. Aucune réponse. J'hésitai quand le déclenchement d'une minuterie m'encouragea à avancer. À première vue, l'agencement du sous-sol était tout à fait différent. Pas d'espace ouvert mais une succession de petits box vitrés pareils à des cabines de tir ou des cellules provisoires dans le tréfonds d'un commissariat d'arrondissement. Chacun était meublé du strict nécessaire : une table, une chaise, une lampe. Je jetais un œil par le carreau de la première salle pour constater qu'elle était vide, de la numéro deux, pareillement inoccupée, quand, enfin, dans la troisième je découvris la silhouette d'une jeune créature absorbée par des feuillets qu'elle consultait de manière compulsive. Je venais de la trouver, ma petite chapardeuse d'archives. Recroquevillée, appliquée, confiante, attentive, impatiente, une armée de qualificatifs autour d'elle, à ses côtés, la composant ; elle se contorsionnait sur sa chaise, les coudes en apesanteur ou tout comme.

Je la détaillais en secret. Elle devait avoir une trentaine d'années tout au plus, une taille gracile, un dos droit, des cheveux fins couleur miel qui lui arrivaient juste un peu plus bas que les épaules. Captivé par le spectacle de sa beauté de la même manière que j'avais pu l'être jadis face à quelques toiles de maître dont je n'arrivais pas à détacher les yeux, Waterhouse, Bonnard, Pascin, Schiele, ou encore, enfant, subjugué par une jeune lionne du cirque de la porte Champerret qui avait disparu de mes souvenirs quand il n'avait plus été question d'y divertir l'ennui des mercredis, je ressentis toute la pesanteur et l'inutilité de ma présence au monde.

Je me mis en colère contre ma propre respiration qui m'importunait aussi fort qu'une odeur de transpiration, craignant qu'elle ne me trahît et que la jeune femme ne lançât dans ma direction un regard sidéré. Je redoutais aussi qu'elle ne s'effrayât de constater qu'elle était la proie visuelle d'un inconnu. Le soir, à Paris, quand je rentrais chez moi et qu'une passante isolée arrivait à ma hauteur, je la laissais me dépasser, ou bien dans le cas où c'était moi qui étais sur le point de la rattraper, je ralentissais sciemment et lui laissais un peu d'avance pour qu'elle ne se sentît pas suivie. Que de temps perdu dans la précaution de ne pas outrager des personnes qui ne soupçonnaient pas même mon existence !

Un autre souvenir me tétanisait. À l'observer, cette fille était le portrait craché d'une assistante qu'avait eue Joe J., une saison entière à la fac de Censier, dont la beauté produisait sur ceux qui la croisaient cette alliance de stupeur et de ravissement qui reste après l'effondrement d'un château de cartes. J'étais passé à plusieurs reprises devant le petit bureau qu'elle occupait, jouxtant celui de mon père, et jamais je n'avais osé passer une tête ou simplement me tenir dans l'embrasure et attendre que quelque chose se produise.

Durant cette année qui avait été pour elle une année neutre – c'est ainsi que l'avait formulé Daddy : sans amour décisif, ni projet particulier –, j'aurais pu aisément franchir la frontière qui séparait le bureau du couloir et engager une conversation potentiellement déterminante pour elle et moi. Mais ce n'était pas dans mes compétences, à l'époque. Une timidité mal placée me paralysait en même temps qu'elle nourrissait mon orgueil. J'étais stupide, en ce temps-là. C'est (loin d'être) terminé. Quant à la jolie secrétaire de mon père, elle avait depuis quitté son année neutre sans que j'aie eu le cran d'intervenir, était dorénavant mariée à un jeune héritier des montres suisses, et croupissait sous des catalogues de choses ravissantes à consommer tandis qu'un lave-linge de grande contenance ronronnait derrière elle. Quatre enfants qui faisaient tous du longboard, jouaient au tennis et du piano (pas tout à la fois), de manière paisible et performante, comme si personne ne pouvait être déraciné par un vilain cataclysme dans les vingt prochaines années.

Par une sorte d'attachement à mon passé et une haute propension à la nostalgie qui est souvent le lot des individus à l'enfance heureuse, je m'étais récemment abonné à son compte Instagram et, depuis, souffrais le martyre, n'ayant raté aucune étape, des accouchements jusqu'aux derniers rebondissements de la scolarité de sa progéniture, fêtes d'anniversaires et excursions au grand air, n'osant me désabonner de peur que cela ne fût vécu comme une indélicatesse ou même une cinglante remise en question de tant de bonheur affiché.

Tout ça pour dire qu'il y a toujours une année neutre dans la vie de quelqu'un. Si vous en pincez pour une personne qui est dans son année neutre, faites-vous identifier d'elle, ou intervenez sans délai. Pas comme moi.

## 2

Rassemblant mes pensées, je resserrais mon étreinte sur la poignée de porte au moment précis où la minuterie du couloir s'éteignit en un claquement sec, plongeant ma silhouette dans une obscurité qui bizarrement me décida à l'action (en réalité, j'étais pris de panique et désirais atteindre le plus rapidement possible le box éclairé), quand la pression frénétique de ma main ne rencontrant qu'une réponse lâche, sans dénouement, me signifia que la porte était verrouillée de l'intérieur.

Curieusement, la poignée qui s'agitait entre mes doigts n'avait pas eu l'air d'attirer l'attention de la jeune femme. Je l'observais maintenant avec ce mélange de détresse et d'amour avec lequel on considère une coccinelle qui vient de se poser sur le dos de sa main, priant en secret pour qu'elle mette le plus de temps possible à s'envoler et disparaître.

Je compris pourquoi ma tentative d'intrusion ne l'avait pas alertée. Derrière un rideau de cheveux blonds, je vis l'un des écouteurs du casque qu'elle portait aux oreilles briller comme un bijou. Elle devait écouter de la musique à plein volume sans que cela entamât sa concentration, pas plus que la frénésie, la minutie avec lesquelles elle parcourait les feuillets étalés sous ses yeux. Mon esprit reprit un peu de joie à la vue de la théière haute et bleue, au long bec en émail, posée sur la table. Le thé serait un allié indéfectible. Les filles qui boivent des litres de thé ont, à un moment ou un autre, besoin d'aller aux toilettes. C'est aussi vrai qu'Audrey Hepburn est la plus jolie fille dans un film qui a Audrey Hepburn à son générique, ou qu'il y a toujours des averses diluviennes dans le cinéma de Claude Sautet. Je n'avais qu'à attendre le moment propice, tapi dans l'ombre, l'instant fatidique où sa vessie prendrait possession de sa fragile silhouette. Alors, en un temps record, elle se précipiterait hors de la cellule vitrée, et tandis qu'elle remontrait à l'étage où devait se trouver le water-closet, je n'aurais qu'à me précipiter sur les archives, les enfouir sous mon blouson, et détaler vers mon hôtel d'Holborn.

Soudain, elle leva un bras en l'air. Laissa retomber la main, décrivant en arc au-dessus de sa tête. Puis, conservant cette position, elle pencha doucement son buste vers la droite. J'accompagnais ce mouvement en inclinant légèrement ma tête sur la gauche. Mon cœur battait à tout rompre.

Cinq minutes plus tard, je la vis mordiller sa lèvre inférieure, frotter son nez du bout du doigt, étirer ses lèvres en un large sourire, ce qui devait signifier qu'elle avait trouvé quelque chose d'important. La jeune beauté se resservit une tasse de thé, et commença à s'agiter nerveusement. J'eus tout juste le temps de me tapir au fond du couloir quand la porte s'ouvrit et que, telle une furie, elle attaqua sans me voir l'escalier qui grimpait vers la salle d'accueil.

Conformément à mon plan, je me précipitai à l'intérieur de la cellule, droit sur la petite table d'interrogatoire et me trouvai nez à nez avec les registres de la bibliothèque de Westminster, comportant les noms et les adresses des sonneurs qui s'étaient succédé à l'abbaye de 1793 à 1795. Sans perdre une seconde, j'emportai le butin et m'élançai vers la sortie. Avec un peu de chance, la fille serait en train de se laver les mains, réajuster une bretelle de soutien-gorge, s'admirer dans la glace (ou tout à la fois) que je serais déjà dans la rue, soufflant comme un bœuf mais fier comme un paon.

À peine avais-je expédié les quatre premières marches que, dans le même élan, la jeune Anglaise les dévalait dans l'autre sens. La catastrophe fut inévitable. Je n'avais pas pris garde à la théière en émail. Pas remarqué, dans la précipitation, qu'elle avait disparu du bureau d'étude. Ma voleuse d'archives était simplement allée se resservir en eau chaude. Prise de panique en me voyant remonter face à elle, homme tronc, manticore, cerbère surgi des profondeurs, elle eut pour premier réflexe de m'envoyer le contenu de la théière sur le torse.

Je reculai sous la brûlure, hurlai comme un supplicié, et me retrouvai au sol, dans une position impossible à décrire sans être mortifié de honte. Elle agita une main sous le capteur. Le néon du plafond crachota pour se stabiliser sur une lumière sans complexe, révélant l'ampleur du désastre.

« Oh non ! C'est pas malin ! » lança-t-elle en avisant les feuillets qui s'échappaient de mon blouson, maculés d'éclaboussures de thé.

Contrarié qu'elle ne s'inquiétât pas davantage de mon état, ou que, passé la stupeur du choc dans l'escalier, elle ne s'effrayât pas plus que ça de ma présence, je me relevai en me dépoitraillant, tant ma chemise souillée me brûlait. Je me retrouvais torse nu devant une jolie fille dans une situation qui n'était choisie ni par l'un ni par l'autre, ce que j'avais réussi à éviter durant toutes mes années de lycée en choisissant l'équitation plutôt que la natation (partant du principe que dans une vie d'homme, il y a moins d'occasions de se retrouver nu sur un cheval que sous l'eau).

« Qui êtes-vous ? Que faites-vous ici ? » s'écria-t-elle tandis que je tentais de me couvrir avec la partie de blouson qui n'avait pas été aspergée de thé.

« C'est miss Silsburn, la bibliothécaire de l'abbaye de Westminster, qui m'envoie », répondis-je avec fermeté en espérant renverser le rapport de force qu'elle installait entre nous.

Elle fit l'innocente, mais accusa le coup. Je profitais de cet avantage en ma faveur :

« Pour régler à l'amiable le vol inqualifiable que vous avez commis !

— Vous ne pouviez pas le dire tout de suite ! »

Elle s'avança vers moi, ramassa les feuillets avec empressement.

« Ce n'est vraiment pas malin. Le thé s'est répandu sur des registres millénaires. Des preuves irréfutables.

— Des preuves irréfutables de quoi ?

— Des preuves irréfutables de la vérité, dit-elle en m'engueulant presque.

— Mais quelle vérité ? »

Elle capitula. Ses yeux, que je découvrais clairs, se firent moins durs.

« C'est trop long à vous expliquer, mais c'est important pour moi. »

Touché par sa sincérité, je lui dis :

« Je m'appelle Joachim. »

Elle me tendit une main fine et franche, comme le premier chant d'oiseau du matin.

« Moi, c'est Mirabel. »

Mirabel !

Prononcé par elle, ce prénom tira une corde sensible qui résonna en moi d'une étrange et nouvelle manière. Mira-*Bell*.

Je revins d'instinct à ma petite sonneuse de cloches.

« Écoutez, Mirabel, je ne vais pas vous proposer d'aller prendre un thé après ce qui vient de se passer. Mais nous devrions parler tous les deux. Avant qu'il ne vous arrive des ennuis avec l'administration de l'abbaye de Westminster. Sortons d'ici, et allons boire quelque chose de bon dans Marylebone High Street. Un chocolat, par exemple. On ne résiste pas à un chocolat chaud en automne. Dites oui. »

Elle carillonna de la tête. À l'affirmative et sans un son.

## 3

Mirabel et moi trouvâmes un endroit à notre goût assez rapidement. Après un veto de part et d'autre. Trop ceci, pas assez cela. J'aimais cette loi d'être ensemble que nous écrivions spontanément tous les deux, ces petites connivences comme des diamants persistants dans les souvenirs embrouillardés. L'acclimatation, le début d'un lien, la chaleur d'un pull. Une porte franchie. Notre choix s'arrêta sur The Providores, pour ses banquettes en cuir bleu et ses tables en bois. Les cafés du quartier offraient souvent des petites alcôves à l'abri du monde tapageur et des atmosphères dans lesquelles se sentir bien. J'avais entendu dire que Marylebone High Street appartenait à une seule et même famille qui décidait des commerces qui avaient le droit de s'établir dans leur rue, et la famille avait fait en sorte de maintenir le standing, de n'autoriser que les enseignes de bon goût, les cafés qui donnaient envie d'y entrer, pas de formatage, que du traditionnel, le magasin de porcelaine anglaise Emma Bridgewater, une boulangerie artisanale qui faisait des cakes maison, la superbe librairie de voyage Daunt

Books, située au numéro 83, boiseries au mur, parquet au sol, et dont le créateur, James Daunt, avait pour ambition de « classer les livres par pays, peu importe leur genre, créant ainsi un choix merveilleux à la fois pour le voyageur et pour le lecteur ».

La chaleur du lieu me réconforta. Durant notre courte traversée de la petite bibliothèque de quartier jusqu'au café, Mirabel avait vissé sur sa tête un bonnet en laine à pompon qui lui donnait une allure de lutin, ses jolis cheveux couleur miel éparpillés sur ses épaules comme les branches d'un saule.

Surpris par le froid, j'avais grelotté au moment où nous avions franchi la porte de la bibliothèque. Elle m'avait demandé :

« Vous ne portez jamais de bonnet en hiver ?

— Nous ne sommes pas encore en hiver. »

Et comme je n'avais pas voulu la laisser sur cette impression un peu sèche, j'avais ajouté :

« J'en porterai quand je serai totalement chauve, j'imagine. »

Elle m'avait regardé à la dérobée, puis en avait convenu. Une fois dans le café-restaurant, nous trouvâmes une place éloignée des tables majoritairement occupées, et nous nous y installâmes. J'aimais cette ambiance d'intérieur quand le temps est maussade, ou mieux que maussade, carrément mauvais. La pluie, le brouillard, les douces intempéries, les assauts d'une averse sur les vitres comme des parties de piano par intermittence plus virulentes que d'autres mais, dans le fond, toujours musicales ; je ne voulais pas que cela disparaisse à cause de ce fichu dérèglement climatique, que le monde que j'avais connu n'existe à l'avenir que dans des petites boules à neige.

Le garçon d'origine italienne qui prenait les commandes vint s'enquérir de nos souhaits avec ce sourire et cette disponibilité que les Parisiens peuvent juger forcés tant ils n'en ont pas l'habitude.

« Deux chocolats ? » dis-je en interrogeant Mirabel du regard.

Elle acquiesça dans un beau sourire.

« Savez-vous que le chocolat est réputé pour ses vertus aphrodisiaques ? »

Je ne pus déceler s'il y avait une intention derrière cette phrase envoyée spontanément, un signe entendu qui se glisse dans la conversation comme un petit mot plié sous la table, ou bien s'il s'agissait juste d'une de ces envolées impulsives qui n'ont pas grande portée (aéroplane de papier dont les ailes ne sont alourdies d'aucune écriture).

Elle ajouta :

« Même que Johann Franz Rauch, recteur de l'université de Vienne, a publié en 1624 un traité dans lequel il condamne la consommation du chocolat chaud. D'après ses recherches, c'est un puissant accélérateur de passions.

— Ah oui ? » dis-je d'un air ahuri.

Le jeune et solide Italien posait devant nous deux tasses fumantes remplies à ras bord d'un breuvage onctueux.

« Le titre original de l'ouvrage est *Disputatio Medico-dioetica de aere et esculentis, necnon de pontû*. Et il n'en existe qu'une douzaine d'exemplaires dans le monde.

— Comment le savez-vous ?

— J'en possède un », me répondit-elle d'un air coupable et joyeux.

Cet aveu me souffla. Visiblement, la petite bibliothécaire de Marylebone n'en était pas à son premier chapardage livresque. Mon attention se porta sur la pyramide de *gingerbread muffins* posée sur le comptoir. Mirabel accompagna mon regard de ses yeux pâles intenses.

« Vous en voulez ?

— J'hésite.

— Qu'est-ce qui vous retient d'en prendre ?

— J'en prends si on partage. »

Ce dialogue était d'après moi l'un des meilleurs auxquels on puisse parvenir dans une situation de premier rendez-vous (amoureux). Face au charme magnétique de Mirabel, je m'isolais dans le doux rêve que nous serions ensemble, un jour, quelque part à Londres ou ailleurs, sur une banquise introuvable du commun des motels, sans parking mortifère et uniquement accessible par vol d'oiseau consentant, quand Mirabel se dressa en travers de la table pour venir claquer deux doigts devant mes yeux de merlan frit dans l'espoir de m'arracher à mon utopie chocolatée.

Retour dans le réel. Je n'étais pas à un rendez-vous amoureux, et ce constat trivial ne fut pas loin de me décourager pour de bon. Je fus pris d'une rare déprime. Je me revis sur le parking désert de l'hôpital serrant le cahier de Daddy contre moi, hésitant à me rendre une nouvelle fois dans le bâtiment sordide où son corps était exposé. Je crus voir Marguerite Duras à deux tables de la nôtre, en train de siroter un désuet bitter Campari. Elle faisait le voyage avec moi. Comme du temps où je me promenais entre la rue du Regard et le métro Mabillon avec un poche de *La Vie matérielle* ou de *L'Amant de la Chine du Nord* dans la main. C'était sans doute la disparition de Joe J. et les projets qu'il laissait à jamais inachevés, comme ce point d'interrogation en forme de cloche que je n'arrivais pas à digérer, qui me procuraient de tendres et terribles hallucinations.

« J'ai aussi envie de salé, dit Mirabel.

— D'accord. »

Je hélais le garçon qui, derrière son comptoir, faisait muscle de tout verre.

« Un *gingerbread muffin* s'il vous plaît et… »

Je pointai légèrement le menton en direction de Mirabel.

« Ce sera un *scotch egg* pour moi !

— Un quoi ? »

Je m'étranglai, comme si je tenais là une preuve irréfutable la concernant.

« *Scotch egg*. C'est autre chose que vos cuisses de grenouilles !

— Oh, les temps changent mais les préjugés sont tenaces. »

Et je vis, face à moi, le plus beau petit mouvement d'épaules dont une fille remontée contre un de mes propos m'ait jamais gratifié.

J'avais conservé avec moi les feuillets dérobés aux archives de Westminster. Je les posais sur la table. Écartant sa tasse de chocolat, elle les passa en revue une nouvelle fois. Elle sourit, comme pour attester de ce qu'elle avait trouvé avant que l'ensemble ne devînt illisible.

« Ils auraient dû les faire numériser », dis-je.

Elle approuva d'un court et charmant soupir. Je profitai de cette lueur de connivence pour la sonder :

« Ce que vous cherchiez, c'est un secret de famille ? La présence d'un ancêtre dans ce registre des sonneurs ? Une grand-mère qui, sur son lit de mort, vous aura révélé quelque chose ? »

Je m'étais exprimé sans dissimulation. Elle fronça les sourcils.

« Ma grand-mère n'a pas eu de lit de mort. Elle a rendu son dernier soupir dans son fauteuil de lecture. Au calme. Le chat sur les genoux.

— Ah… Vous savez Mirabel, nous cherchons peut-être la même chose. Je voudrais savoir qui faisait sonner les cloches de l'abbaye de Westminster de 1793 à 1795. Je voudrais savoir si cet homme, car j'ai vu qu'il faut être un homme pour pouvoir tirer les cloches de Westminster, avait réellement une fille ou bien si tout ceci n'est qu'invention de romancier, spéculation de poète qui veut se faire mousser auprès de ses contemporains ou, pire, faire mousser la postérité en ajoutant une jolie fille en fin de chapitre, comme une sirène sur la proue d'un vaisseau.

— Parce que la postérité mousse ? »

Elle croqua dans son *scotch egg* comme dans une pomme.

« Et pourquoi dites-vous qu'il faut forcément être un homme pour tirer sur une cloche ? C'est vraiment une réplique… typiquement masculine ! »

Je la regardai engloutir son œuf avec appétit. Un peu de chapelure s'attardait sur le bout de ses doigts fins. Je me dis : si elle les essuie avec sa serviette, je l'épouse. Si elle les fourre dans sa bouche, je cesse sur-le-champ de me laisser séduire. Je lui dis :

« Je vous crois tout à fait capable de faire sonner les cloches de Westminster. Les sonneurs, pour se donner du cœur à l'ouvrage, ont les mêmes bizarreries culinaires que vous.

— Qu'allez-vous faire des registres ?

— Je suppose que je vais les rapporter à miss Silsburn, la bibliothécaire de Westminster Abbey.

— Dans cet état ?

— Personne ne les consulte jamais. Personne, à part nous. Je dirai qu'ils ont pris la pluie.

— Dites la vérité !

— Personne n'aime la vérité.

— Peut-être, mais chez nous, tout le monde préfère le thé à la pluie. »

Bientôt, je quitterais l'écrin chaleureux des Providores et cette conversation me laisserait étrangement désemparé. Je nous commandais deux chocolats de plus. Nectar enveloppant, parfum d'enfance, lampée qui déborde sur une autre. Je me sentais à la maison en la présence de Mirabel. Comme je ne m'étais pas senti chez moi quelque part depuis longtemps. Je la regardais, ne parvenant pas à détacher mon attention de son visage. J'aurais voulu caresser pendant des heures ce visage, l'entourer, le protéger, le contenir de mes mains pendant que nous ferions l'amour. J'avais foi en mes mains. Elles brûlaient de ne pas assiéger ce visage, ou, simplement, de ne pas emmêler mes doigts aux siens, comme se rejoignent au-dessus des passants les branches nues des arbres des jardins de Cavendish Square. J'aurais voulu que le monde s'éteigne lentement dehors, par degrés. Extinction du monde à l'exception de nous deux. Qu'il s'éteigne lentement ou

131

d'un coup sec, comme la minuterie au sous-sol de la bibliothèque à l'angle de Marylebone High Street et de New Cavendish Street. Toute ma vie, il me semblait avoir recherché des êtres qui me feraient vivre des « instants maison ». Ce que j'appelle des « instants maison » sont des instants où l'on se sent soi-même, à une distance la plus infime possible entre ce qu'on est et l'image qu'on se fait de sa présence sur terre, sans vouloir toujours chercher ailleurs, comme une âme errante, une personne de plus, prompte à nous réinventer.

Au moment de nous quitter sur le seuil du café, elle me dit :

« Écoutez, retrouvez-moi demain soir, j'ai quelque chose à vous donner. Quelque chose qui est en ma possession et qui pourrait vous intéresser.

— Ah ? » fis-je, intrigué, bien que le mystère de ce *quelque chose* ne surpassât en rien la promesse de la revoir.

« Retrouvons-nous à huit heures, à la station de métro Camden Town. Une amie organise une fête dans un immeuble qui donne sur Regent's Park. On pourra sans doute y danser. J'aime beaucoup danser.

— C'est que… »

Son regard perçait l'amas de tuiles verglacées qui venaient de me tomber sur le cœur.

« C'est que je danse comme une pomme de terre. Une pomme de terre qui se tiendrait sur le rebord d'une casserole remplie d'huile bouillante.

— Bien sûr, dit-elle. *French fries !* »

En règle générale, je n'éprouve que de l'aversion pour l'adolescence où l'on passe le plus clair de son temps à zoner d'un air satisfait à un air las, refusant toute activité qui nous élèverait un peu. Parodiant le dernier ouvrage publié de Joe J. Stockholm, je pourrais dire : « Qui me rendra le temps perdu à errer dans l'adolescence ? » Ces longues heures à traîner dans l'inexorable alors que j'aurais pu apprendre un tas de choses qui m'auraient servi par la suite, disons, à compléter ma personnalité, comme des foutues leçons de danse.

« Alors, c'est oui ou c'est non ?

— C'est oui !

— Parfait ! Alors huit heures, station de métro Camden Town.

— Ce que j'aime avec vous, dis-je, c'est que rien n'est périssable.

— Périssable ?

— Sur le point de mourir. À chaque instant. À la tombée de la nuit. Je me demande toujours ce qui est le plus périssable. Les paysages traversés ou les visages retenus. Parfois, j'ai l'impression que c'est une compétition permanente. »

Elle éclata d'un rire conciliant.

« Vous êtes si sombre, Joachim. Si mélancolique. Il faut vivre. Ensuite, il sera bien temps de disséquer ses souvenirs le soir au coin du feu.

— Vous avez vu l'état du monde ? Bientôt, il y aura le feu partout et plus aucun coin où se tenir.

— Alors nous danserons au milieu des flammes. »

Il y avait chez Mirabel un optimisme, une gaieté, qui désamorçaient tout ce qui me paraîtrait la minute d'après, privé de sa présence, insupportable ou pesant. Elle me quitta le long de Marylebone High Street.

Le coucher du soleil laissait dans le soir une bande-lette orange, puis jaune, puis rouge. Une bandelette émouvante. Oxford Street se remplissait de bus et de passants avec la lenteur confiante d'un bain qu'on fait couler. Une brume de mélancolie me passa sur le cœur. J'avais son prénom plein la bouche. Je ressassais en boucle : « Mais, voyons, c'est tellement loin, demain soir ! »

**4.**

Je descendis Carnaby Street dans un état second.
Partagé entre la joie légère d'avoir rencontré Mirabel
Hunt et le chagrin profond de l'avoir quittée. J'avais
une temporalité bien à moi pour les êtres (je ne sais
pas où placer l'adjectif « rares », avant ou après le mot
« êtres », j'hésite et déjà la phrase cavale au-delà de la
parenthèse – Joe J. aurait su tout de suite, lui) qui me
plaisaient éperdument. Se quitter, c'était toujours trop
vite. Mais, au fond, c'était la seule façon de résister au
temps qui passe : l'habiter à sa manière, l'acclimater à
son tempérament, le dompter aux battements de son
cœur.

Marin Maret était attablé dans un café de Wardour
Street dont les larges baies vitrées donnaient sur la rue.
À peine eus-je le temps de l'identifier, posant distraitement le regard dans sa direction, qu'il était déjà sur
le trottoir, venant à ma rencontre. Il tenait dans la main
un exemplaire du roman de Nabokov *Ada ou l'Ardeur*
dans sa version anglaise.

« Tu sais que ton père relisait ce roman perpétuellement ?

— Oui. Comment pourrait-il en être autrement ?

— Tu vas où comme ça ?

— Je remonte vers Holborn, à l'hôtel.

— Fais un crochet avec moi par Piccadilly, j'aimerais te montrer quelque chose.

— D'accord.

— Alors, ton enquête, raconte ! »

Comme il ne quittait pas des yeux le classeur que je tenais en main, je n'eus d'autre choix que de lui dire :

« J'ai tout récupéré.

— Mince ! Fais voir un peu ! »

Il me prit pour ainsi dire le classeur des mains. Faillit se faire renverser par un livreur au moment où, déséquilibré par son impatience, il chancelait sur le trottoir étroit.

« Soho attend son baron Haussmann », dis-je.

Il ne releva pas, absorbé dans ce qu'il découvrait.

« Les registres des sonneurs ! Bravo, mon garçon !

— J'ai peur qu'ils ne soient irrécupérables.

— Que s'est-il passé ?

— Incident typiquement anglais. Accident de thé !

— Zut ! fit-il, constatant par lui-même l'ampleur des dégâts. Alors, tu ne sauras jamais ce que ton père avait derrière la tête…

— C'est peut-être mieux ainsi. Il emporte avec lui ses fictions. Et puis ce qui le préoccupait réellement, je crois, était de savoir si l'hôpital pouvait réquisitionner une ambulance pour le ramener à la maison.

— Et la fille ? demanda Marin.

— Quelle fille ?

136

— Eh bien la fille, quoi, la bibliothécaire de Marylebone…

— Oh, Mirabel ? Jolie… »

J'avais prononcé ces mots sur un ton désinvolte qui m'effraya tant il trahissait mon émotion.

« C'est quand même bizarre, tu ne trouves pas ? » dit Marin.

Il s'arrêta à une intersection et plongea ses yeux au fond des miens tout en se frottant le bas du menton dans une attitude réflexive.

« La fille est en train de faire une recherche identique, quasiment au même moment que toi, et la responsable de la bibliothèque de l'abbaye nous raconte qu'en vingt ans, personne n'a jamais demandé à consulter les archives…

— C'est une coïncidence. J'ai pensé qu'elle pouvait être sur la piste d'un secret de famille. Un ancêtre qui aurait été sonneur de cloches.

— Alors ça, pour un secret de famille, c'est plutôt nul ! Un secret de famille, généralement, c'est un peu plus croustillant. Elle ressemble à quoi ?

— Je vous l'ai dit. Je l'ai trouvée jolie.

— Bien sûr que tu l'as trouvée jolie ! Mon pauvre garçon ! Il suffit de te regarder : tu trembles comme une feuille et tu ne t'intéresses à notre conversation que parce que je t'y oblige. Le nez, elle avait un nez comment ?

— Je n'ai pas fait attention. Elle avait un nez normal.

— Normal pour un grand nez, c'est ça ?

— Je ne sais pas. »

Marin débordait d'enthousiasme :

« Les Chateaubriand ont toujours eu un grand nez ! C'est une de leurs caractéristiques. On le voit sur les différents portraits dessinés ou peints. Par Girodet ou Guérin notamment.

— Qu'est-ce que vous insinuez, Marin ?

— Eh bien voyons, je fais exactement comme on procédait avec ton père : je me passionne pour une théorie ! Ça alors ! Qu'est-ce que ça peut lui faire, à cette fille, de connaître le nom d'un pauvre gars qui faisait sonner les cloches de Westminster à l'automne 1793, si ce n'est pour une histoire totalement édifiante ? Je sais bien que les jeunes d'aujourd'hui sont déphasés, mais il y a quand même d'autres manières d'occuper son temps libre ! Tu veux connaître ma théorie ? Cette fille, c'est la descendante de Chateaubriand ! Point barre ! »

Cette fois c'est moi qui faillis me faire renverser par un cycliste fou tandis que nous déambulions à nouveau dans les étroites rues de Soho.

« Mais voyons, Marin, c'est du délire ! Et puis vous avez lu comme moi le passage des *Mémoires*, le chevalier n'a pas pu se comporter comme un goujat avec la petite sonneuse de cloches, il la qualifie de "léger fantôme d'une femme à peine adolescente". Il ne s'est quand même pas rué sur elle ! Pas Chateaubriand ! Le mec a inventé le romantisme !

— Pas du tout ! C'est ce que tu crois ! Il n'a rien inventé du tout. Le romantisme, c'est un truc que les migrants ont rapporté d'Allemagne avec Goethe, ou d'Angleterre avec Blake et Chatterton. En France, à l'époque, c'était *Les Liaisons dangereuses*. Alors, qu'est-ce qu'elle t'a raconté ? »

Je repensais à Mirabel pendant que nous abordions Piccadilly Circus par Golden Square et Glasshouse Street. À cette heure, la place et ses différents carrefours ne désemplissaient pas. Des silhouettes pressées déferlaient de part et d'autre, se croisaient, se pourchassaient, sans jamais s'atteindre. Un véritable Pac-Man d'attitudes. Piccadilly Pac-Man. Je convoquais quelques souvenirs de l'après-midi : Mirabel perchée sur sa chaise et concentrée sur les feuillets dans la salle d'étude au sous-sol de la bibliothèque de Marylebone, la découverte de ses yeux clairs dans l'escalier suivie instantanément de la brûlure sur ma peau, redouter à chaque instant celui de se quitter, les deux premiers chocolats chauds, les deux autres, le *scotch egg* qu'elle avait dévoré avec un appétit dont un sonneur de cloches n'aurait pas rougi, ses oreilles qui pointaient sous un rideau de cheveux miel qui lui arrivaient en dessous des épaules, la promesse de la revoir, et ce moment étrange et gracieux où elle avait suspendu un bras en arc-en-ciel au-dessus de sa tête.

Je me sentais à l'abri en songeant à elle, un courant chaud, diffus, au milieu de la ville tentaculaire. Pourtant, puisqu'il fallait nourrir l'emballement du collègue de Daddy, comme un morceau de viande apaise momentanément le rugissement d'un grand fauve, je lui avouais :

« Elle a dit qu'elle allait me donner quelque chose. Quelque chose qui pourrait m'intéresser.

— Alors ça, c'est ÉNORME ! »

Marin Maret était pris dans les filets de Joe J. Stockholm. C'était moi, le fils qui allait de nouveau décevoir le père, n'ayant plus réellement la soif de découvrir avec autant d'intensité que Marin l'un des grands secrets occultes de la littérature française. À moins que son souffle ne me portât sur un chemin où les bras de Mirabel deviendraient ma quête principale.

« Ce qu'elle est sur le point de te donner, mon garçon, je suis certain que c'est un document d'époque. Que Chateaubriand lui a écrit. Oh là là, Chateaubriand est tombé amoureux, et il a dû lui écrire une quantité de lettres ! C'est énorme !

— Chateaubriand a écrit des lettres à Mirabel ?

— Mais non, pas à la bibliothécaire ! À son aïeule ! La petite sonneuse de cloches. Et la famille aura gardé le trésor dans un coin de grenier. Exactement comme les lettres d'amour cryptées du comte Axel de Fersen et de Marie-Antoinette qu'on a retrouvées des dizaines d'années après la bataille ! Pareil, dans un grenier. Tu vois, c'est la même chose. Ah, ton père, quel bonhomme ! Cette découverte va en faire du ramdam chez les chateaubriantistes ! Je me frotte les mains d'avance. »

Exalté, Marin joignit le geste à la parole et se frotta les mains.

« J'ignorais qu'il y avait encore des chateaubriantistes, dis-je.

— Il y en a partout ! Et ça fait longtemps qu'une véritable révélation n'est pas venue bousculer leurs colloques, leurs séminaires et leurs publications. À part se passer entre eux de la chateaubrillantine, il ne se passe pas grand-chose dans leur monde. J'imagine déjà les gros titres : "On a retrouvé outre-Manche une petite bâtarde de Chateaubriand !" Tiens, d'ailleurs, où est-ce que tu la retrouves ?

— Demain soir.

— Oui mais où demain soir ?

— Camden Town.

— Camden Town…

— Vous n'allez quand même pas nous suivre ? ! Je croyais que vous n'approuviez pas les personnes qui en suivent d'autres dans la rue.

— Oui, mais là, c'est pour les besoins d'une enquête. Je serai présent pour m'assurer que les documents finissent bien entre tes mains.

— Vous vous faites certainement des idées…

— Arrête d'être si négatif et pense un peu à ton père ! C'était votre projet au départ ! On dirait que tu as dévié de ta trajectoire. Tiens, regarde, c'est cette devanture que je voulais te montrer. »

Portés par notre conversation, nous avions à présent pénétré l'enceinte de Chinatown, par Gerrard Street.

« Celle-ci, mon garçon.

— C'est un restaurant chinois ?

— Aujourd'hui. Mais à l'époque de Chateaubriand, c'était la librairie Deboffe. Un lieu de passage et de rendez-vous très important pour les migrants français.

— Bien sûr. François-René en parle abondamment dans ses *Mémoires*.

— L'ironie, c'est que maintenant, en vitrine, comme tu peux le constater, il y a pléthore de poulets embrochés et laqués tandis qu'à l'époque, notre héros crevait la dalle. »

## 5.

Je regagnai ma chambre d'hôtel sous une pluie fine, l'esprit tourmenté, un croissant de lune en travers de la gorge. Toutes mes pensées se concentraient dorénavant sur Mirabel. J'avais hâte de la retrouver, non pas en raison de ce qu'elle avait à me donner et peu importe si cette promesse avait un lien avec ma mission première, le déclenchement de mon voyage, la volonté d'arracher un point d'interrogation du cadavre spirituel de mon père pour le laisser reposer en paix, l'exaltation désarmante dont faisait preuve Marin depuis que sa théorie du rejeton s'était formée dans son esprit ; le seul intérêt de cette proposition était maintenant de passer à nouveau du temps avec elle. C'était comme pour le thé. Il y avait quelque chose qui relevait de l'infusion. On ne prémédite pas de tomber dingue d'une personne. On n'a pas envie de se rendre malade. Au début, une image, une parole prononcée, un regard, nous reviennent par éclats. Et puis soudain, on s'aperçoit qu'on ne pense plus qu'à elle, qu'un sentiment qui nous dépasse a infusé de manière aussi sombre et inévitable que le fond d'une théière attaquée par le tanin et qui en révèle dorénavant la singulière beauté.

En réalité, à l'instar de Marin ou de mon père, je ne croyais plus désormais que cette histoire du baiser existât seulement dans les *Mémoires* pour faire sonner la fin d'un chapitre, quand bien même j'adorais ce dialogue de *Franny and Zooey* dans lequel J. D. Salinger fait dire à la benjamine de la famille Glass qu'un véritable poète est quelqu'un qui « est supposé laisser au lecteur quelque chose de beau dans la tête, quand il tourne la page ».

Que s'était-il donc réellement passé dans l'abbaye de Westminster entre François-René et la petite sonneuse de cloches ? S'étaient-ils revus en secret, par la suite ? Y avait-il un grenier à Londres qui abritait le fin mot de l'histoire ?

Je m'allongeai sur le lit. Allumai une bougie « *library* » de la marque True Grace, dont j'aimais le style et les compositions, tentai de grignoter une part de *carrot cake* aux noix achetée en passant chez Drury, sur Drury Lane, entre Covent Garden et Holborn, écoutai distraitement une voix de la BBC 2 me parler de la vie des écureuils dans les parcs de Londres.

Je pensais à Mirabel.

Penser à Mirabel était aussi doux et douloureux que l'effondrement d'un flocon de neige à l'intérieur de soi. Et je voulais qu'il neigeât encore. Jusqu'à saturation.

Je finis par m'endormir vers quatre heures du matin, en enlaçant un traversin comme si je la tenais dans mes bras.

☆

Une partie de la nuit, j'avais essayé de faire sécher les feuilles encore floutées par les gouttes de thé contre le radiateur de la chambre d'hôtel. C'était une pièce trop minuscule pour y faire les cent pas à la manière d'un personnage de Dostoïevski qui attend Dieu sait quoi, même si l'expression « Dieu sait quoi », dans le cas d'un personnage de Dostoïevski, est une motivation à effectuer une centaine de pas supplémentaires.

Miss Silsburn avait promené un œil suspicieux dénué de zèle sur le contenu des classeurs, mais sans doute ne les avait-elle jamais consultés en vingt ans de service ; elle avait soupiré comme pour dire que ça ne servait à rien qu'on la harcelât en lui envoyant des personnes chargées de la numérisation des archives car, de son point de vue, il était inutile de s'user les yeux sur un écran pour y parcourir des choses illisibles, tombées dans l'oubli, et qui n'avaient aucune espèce d'incidence dans la vie de quiconque.

Sur ce point, miss Silsburn se trompait. Mais je n'avais pas la force de lui fournir une explication. Elle m'avait demandé ce que je pensais de Damian, sans doute parce que dans son esprit les Français s'y connaissent mieux que les Chinois, les Russes ou les Hindous en affaires de cœur. Je fus stupéfait de la franchise avec laquelle elle s'était adressée à moi. « Vous me demandez s'il est possible d'avoir une liaison durable avec un sonneur de cloches ? – Non, s'il est possible d'avoir une liaison sérieuse avec un homme qui porte deux fois de suite le même pull de Noël. »

Quittant l'abbaye, je traversai St James Park et j'empruntai le Mall pour remonter vers Trafalgar Square en direction de la National Gallery. Le rendez-vous avec Mirabel étant programmé à huit heures au métro Camden Town, mon objectif était de faire filer le temps le plus vite possible sans que j'eusse à le fixer en permanence.

Je voulais voir depuis longtemps cette toile de Monet, conservée à Londres, qui donne un instantané de deux femmes sur la plage de Trouville ; Camille, son épouse, en compagnie de celle d'un autre peintre, Eugène Boudin.

Après avoir traversé une enfilade de couloirs et salué les foules de Canaletto réunies sur des parvis léchés par une lagune émeraude, je me retrouvais face au chef-d'œuvre impressionniste. D'emblée, j'imaginais le dialogue des deux femmes : « Votre mec est un Boudin ! – Peut-être, mais le vôtre ne pense qu'à la Monet ! » Le tableau, de modestes dimensions, était admirable. Les plis de la robe de Camille rappelaient la douce et indistincte tourmente des nuages, tandis que le fond de l'ombrelle qu'elle tenait pour se protéger des pâles assauts du soleil offrait une alternative au ciel.

Monet ayant posé son chevalet directement sur la plage, la toile contenait d'authentiques grains de sable qui scintillaient telles des paillettes sur une tenue de bal, tantôt dans la tenue sans fantaisie de Mme Boudin, tantôt dans le ciel, les nuages, la minuscule corbeille de fruits juchée sur le chapeau de Camille. « Votre robe ne vous boudine pas trop ? – Et la vôtre ? C'est un emprunt ou vous l'avez payé avec votre propre

Monet ? » Enfin, ces grains de sable incrustés dans la toile, je ne les voyais pas vraiment scintiller devant moi ; c'étaient mes yeux fatigués et la nuit tourmentée par le manque qui donnaient à l'ensemble son éclat particulier.

## 6

Camden Town. Sur place avec une bonne dizaine de minutes d'avance, je scrutais la foule tumultueuse et essayais d'identifier la silhouette de Marin Maret, embusqué derrière une boîte aux lettres rouge du Royal Mail ou planqué sous un portant de blousons punk d'une friperie vintage, et qui s'imaginait déjà être l'invité d'honneur de colloques châteaubriantistes, dîner de tournedos gratis pour le restant de ses jours, préfacer un bon gros volume de lettres d'amour inédites de l'auteur de *René* à une petite Anglaise intrépide, bestseller de Noël en vitrine des meilleures librairies de France, d'Angleterre et du monde. Je voyais déjà les gros titres de la presse : « Après les *Mémoires d'outre-tombe*, les *Lettres du grenier* ! »

Tout à coup, Mirabel se posta devant moi avec cet air enjoué et gracieux, sans distance, que je lui connaissais maintenant. Elle portait son duffle coat bleu marine, sous lequel j'apercevais une robe de soirée en lamé. Elle me prit par le bras qu'elle avait de libre (l'autre soutenait une mystérieuse pochette en carton tout à fait capable de contenir un florilège de lettres d'amour issues d'un autre siècle) avec un naturel qui me fit trébucher de l'intérieur, et m'entraîna sur Parkway, l'artère animée, bordée de restaurants, d'épiceries fines et de tatoueurs branchés, qui menait au parc par deux trottoirs d'immeubles en brique, couleur tabac. Les bâtiments ne comportaient pas plus de deux étages ; on était loin des immeubles haussmanniens et, au passage, je me demandai où allaient se réfugier les fumeurs que vous voyez par packs de six peupler les balcons en fer forgé si d'aventure vous vous promenez le samedi soir entre République et Oberkampf, quand même pas dans le London Zoo ?

Mirabel m'apprit que nous allions à la fête d'une amie qui organisait une soirée privée dans un des appartements cossus situés sur le cercle externe de Regent's Park, que, malgré le confort du lieu, il y aurait probablement beaucoup de monde et sans doute peu d'espace pour danser, mais que ça n'avait pas grande importance, selon son expertise, moins il y avait de place, plus on s'oubliait dans la danse, après quoi je lui demandai, en flirtant doucement, si son but était de m'oublier dans la danse, et elle me répondit non, c'est tout le contraire.

Connaissant le goût assez prononcé des Anglais pour les relations entre individus d'une même classe sociale, je me demandais comment une jeune bibliothécaire de quartier pouvait être conviée dans un endroit si fastueux, à l'invitation d'une fille appartenant sinon à l'élite, du moins à la petite-bourgeoisie établie. Je me risquais à la questionner :

« La fille de l'anniversaire. C'est une amie proche ?

— Oh oui, fit Mirabel, nous avons été arrêtées ensemble il y a deux ans quand nous avons essayé de dérober des lettres secrètes envoyées dans les années quatre-vingt-dix par le prince de Galles à Camilla Parker Bowles.

— Ah ? Pour les publier ?

— Non, quelle drôle d'idée, pour les lire ! »

Si, comme me l'avait appris Marin, nombre des contempteurs de Chateaubriand l'avaient qualifié de mythomane, une de ses descendantes pouvait très bien s'être spécialisée dans la cleptomanie. Après tout, un mythomane n'est-il pas aussi un chapardeur de souvenirs qui ne lui appartiennent pas ?

Nous traversâmes une vaste cour intérieure où étaient rangées en épi des voitures de sport, gravîmes une volée de marches puis empruntâmes un magnifique escalier en marbre pour nous retrouver directement dans une immense pièce tout en moulures et parquets, dont les fenêtres donnaient sur le parc, saturée d'individus qui discutaient par petites grappes au milieu de filles fantastiques, certaines assises en équilibre sur un bras de fauteuil, oiseaux miraculeux sur des perchoirs dorés.

Les unes avaient le corps d'athlètes (Allison Stokke, Melanie Adams, Yuliya Levchenko), les autres étaient de petits gabarits sexy, toutes nées pour prendre avantageusement la lumière sous les reflets de la surface, plateaux de télévision ou podiums des défilés de mode. Le verre à la main semblait un accessoire aussi indispensable que le sac ou la pochette pour les filles. Le verre, c'est la carte d'identité pour la soirée, couleur et préférence. Les gens qui n'ont pas de verre ne trouvent plus personne pour les observer ou croire en eux. On les pense sur le départ d'une seconde à l'autre.

Une brune au regard vaporeux dansait contre une fenêtre. Son corps entier obéissait au fléchage de son menton pointu. Elle portait une cordelette dorée autour de la taille, identique au lasso de Lynda Carter dans *Wonder Woman*, et la cordelette se dénouait à mesure de ses déhanchements voluptueux, ce qui laissait apparaître son entre-seins, et trois garçons autour d'elle la regardaient, prêts à faire sagement la queue pour le marchand de glaces. Dans l'ensemble, les garçons étaient bien bâtis et encore mieux habillés que bâtis ; des êtres au pedigree remarquable, tout droits sortis des pages « people » du magazine *Tatler* ; faune cosmopolite et nuancée, mais résidents permanents du pays de l'argent qui vous brûle les doigts sans qu'il ait jamais à vous encombrer les poches.

Une fille habillée en soubrette prit notre vestiaire. Mirabel lui confia son manteau et sa pochette en carton sans que je sache ce qui était le plus imprudent des deux. Mon trouble décupla face au spectacle délicieux de ses épaules nues dans sa robe en lamé et de ses cheveux aux reflets or brun qui ruisselaient sur ses clavicules sous les lustres du couloir. Je lui dis que la couleur de ses yeux me faisait penser à l'un des anges du diptyque de Wilton, ou à tous les anges à la fois, dès le moment où son regard se portait sur moi.

Elle m'apprit qu'un Français avec qui elle était sortie durant l'été 2012 lui avait fait un baratin identique sur la peinture et ses yeux clairs, cette fois avec Nicolas de Staël et le *Ciel à Honfleur*, ce qui après réflexion, comme je connaissais bien la toile, me parut sensé. La couleur de ses yeux rappelait les deux lambeaux de mer après la plage. Je lui demandai comment s'était terminée leur relation, et Mirabel m'avoua que cela s'était fini de la même manière que la dernière période du peintre franco-russe : dilué.

Face à un petit groupe d'une dizaine de personnes, un homme à la bouille d'écureuil récitait des poèmes. Il avait une implantation des cheveux très particulière, filandreux par endroits, dégarni sur d'autres parties de son crâne, et, de loin, il me faisait penser aux photographies de Richard Brautigan imprimées sur les jaquettes de ses livres. Je me souvenais d'une interview de mon père qui avait déclaré que le court texte de Brautigan intitulé « Causerie à la radio » permettait au lecteur de savourer la texture du temps de manière comparable à la lecture de Proust. Bien sûr, cela n'avait pas manqué de provoquer une bronca ; on avait traité Joe J. de fantaisiste, et quarante auteurs très en vogue dont on avait aujourd'hui envoyé au pilon à la fois les œuvres et la notoriété s'étaient fendus d'une lettre ouverte pour demander sa destitution de l'université.

« Champagne », proposa Mirabel, et je l'accompagnai jusqu'à la table garnie de salades de homard, derrière laquelle une serveuse qui portait des dread locks remplissait des coupes de couleur rouge. Ma petite chapardeuse but une première coupe, puis une deuxième, et de trois, ce qui la décida à rejoindre sans délai la fille à la cordelette dorée.

Je me cramponnais à mon verre et souriais comme un demeuré à des visages glissants, histoire de me donner un brin de consistance dans cette admirable sélection d'inconnus célèbres qui tous possédaient pour deuxième prénom le nom d'un ancêtre qui avait fait fortune quelque part. Puis je trouvai pour point de chute le bras complice d'un canapé qu'une créature fabuleuse avait bien voulu déserter pour aller s'agripper à un autre branchage d'attitudes.

Il y avait quelque chose d'indécent dans le fait d'avoir enterré mon père deux mois auparavant et de me trouver ici, à Londres, dans un décor somptueux, parmi des sourires qui me semblaient figés dans leur importance toute factice. Un amas de gens qui voletaient, piaillaient, remuaient jusqu'à l'épuisement, presque au stade avancé d'effigies et de fantômes si l'on plissait graduellement les yeux, et dont les passions disparaîtraient à leur tour.

La seule personne concrètement vivante était Mirabel, qui dansait devant moi, et dont le déhanché sensuel s'exposait aux yeux de tous.

Entre chaque morceau, elle me cherchait du regard, et quand elle quittait la piste improvisée, c'était toujours vers moi qu'elle revenait, allant jusqu'à boire dans mon verre, comme si notre récente connivence était son pays d'origine.

J'étais son point d'ancrage, son nid de brindilles – quelques heures dans nos existences mêlées –, son radeau de fortune dans cet océan de silhouettes, et j'acceptais totalement ce rôle.

Je la regardais danser.
Je la regardais, et elle dansait en me regardant.
Exactement comme elle s'était présentée à moi.
Dansant au milieu des flammes.

On tapota soudain sur mon épaule. Marin s'était fendu d'un costume vieillot plutôt crédible, et fier de lui, Papy l'entourloupe tenait sous son bras la pochette cartonnée que Mirabel avait déposée au vestiaire.

« C'est bon, me dit-il, on peut mettre les voiles ! »

Je le pris par le coude et l'entraînais à l'écart.

« Mais Marin, vous êtes dingue ! Qu'est-ce qui vous prend, elle allait me la donner, de toute façon !

— Oh ça… On ne sait jamais comment ce genre de soirées se termine ! Mieux vaut prendre ses précautions tant qu'on est lucide. J'ai été jeune, je sais de quoi je parle.

— Mais c'est du vol !

— Pas du tout, ça fait partie de l'histoire de la littérature. Française en plus ! C'est à nous !

— Vous ne pouvez pas faire ça sans la permission de Mirabel. Attendez au moins la fin de sa danse.

— Crois-tu que Bonaparte est allé voir le doge de Venise pour lui demander d'envelopper les *Noces de Cana* dans du papier journal ? »

Devant la passion qui animait cet enfant de plus de soixante-dix ans, je décidai de capituler.

« Vous êtes incorrigible, Marin. Sous certains aspects, vous me faites penser à Joe J.

— Je prends ça comme un compliment. Alors tu viens ou tu préfères rester parmi ces financiers farfelus ?

— Je vais rester un peu, je crois.

— Pour elle ?

— Oui. »

Il posa sa main sur mon épaule et je crus déceler dans son regard une lueur confiante et apaisante, celle qu'aurait eue mon père si je lui avais présenté un dimanche au déjeuner une petite amie de la trempe de Mirabel Hunt.

Puis le professeur quitta précipitamment la salle de réception et descendit les degrés en marbre du grand escalier qui conduisait vers la sortie en sifflotant *Give Me a Kiss to Build a Dream On*.

Quand le morceau suivant s'acheva, Mirabel revint instantanément vers moi. Ne sachant comment lui faire part du vol opéré par Marin, je confessai pêle-mêle :

« Je suis désolé, Mirabel. La chose inestimable que vous vouliez me donner a été volée ! Les lettres de votre aïeule retrouvées dans le grenier de votre grand-mère, les lettres d'amour inédites, elles vont être publiées. En France. Tout est de ma faute ! Quelqu'un est venu ce soir pour les dérober. Un chateaubrigand. »

Elle plissa son joli front.

« Mais voyons, Joachim ! Qu'est-ce que vous racontez ? Vous avez bu trop de champagne pendant que je dansais. Vous auriez mieux fait de venir sur la piste avec moi.

— Je ne comprends pas. Je ne comprends pas que vous ne compreniez pas.

— Honnêtement, je ne sais pas pourquoi vous vous mettez dans cet état. Ce que je vous ai apporté, c'est ce dont je vous parlais hier, l'essai de Johann Franz Rauch sur le chocolat. Je pensais que ça vous ferait plaisir. Avec tout le chocolat que vous avez bu. De toute façon, je l'avais moi-même subtilisé quelque part. Et puis, honnêtement, le seul truc à retenir de ce traité fastidieux, c'est que le chocolat chaud est un puissant aphrodisiaque. On n'a pas besoin d'en savoir davantage. »

Je me sentis à la fois délivré d'un poids et complètement bouleversé par la présence de cette fille.

Elle me regarda intensément et dit :

« Ne soyez pas déçu. Je vais vous donner autre chose. »

Alors, Mirabel se hissa légèrement sur la pointe des pieds et m'embrassa à pleine bouche. Un baiser fou et fulgurant (ici, la saveur de son prénom m'aide à me souvenir du goût de ses lèvres).

Trois chansons plus tard, quand elle me retrouva encore, ses épaules frissonnèrent, il y eut un mouvement de grande ampleur, de nouveaux invités débarquèrent, d'une autre fête peut-être, plus beaux et plus probants les uns que les autres, escouades de garçons bruns et de filles aux longs cils, aux attaches fines et aux omoplates saillantes, et je restais suspendu à la suite des événements. À cet instant, un marteau aurait pu retomber, une sentence être prononcée, deux bobbies seraient venus me soulever par les bras et je me serais laissé enfermer pour dix ans dans un roman de Jane Austen.

Mirabel avait repéré quelqu'un. Un garçon. Elle dit faiblement : « Oh, ce type, là-bas, c'est Charles, mon fiancé. » Puis elle fonça sur lui, et ensuite, je ne la revis que par intermittence, et chaque fois que, désarçonné par le chagrin, je dérivais vers la porte de sortie et l'escalier de marbre, elle m'envoyait un signal pour me dire que c'était important que je reste, elle voyait que je souffrais, comprenait que je souffrirais davantage si je me détachais de sa présence, dans les rues

155

de Londres, seul à mon hôtel, et au nom de cette souf-france qu'elle devinait et identifiait au travers de mon spectaculaire maintien, elle me suppliait de rester, de ne pas renoncer, elle m'envoyait des regards fous pour ne pas que je renonce à elle.

À un moment, elle me présenta Charles. Je le trou-vai sympathique.

Alors, quand elle fut satisfaite de l'atmosphère que cette présentation avait créée, légère et sans soupçons, elle retourna danser.

*Dans*
*La nuit*
*Nase*
*Des décibels*
*S'embrase*
*Mirabel*

Plus tard encore, pendant qu'elle dansait toujours, ce fut Charles qui s'approcha de moi pour me dire : « C'est étonnant, Mirabel a toujours aimé la France. La culture française. Ses écrivains, ses poètes. Je ne sais pas d'où ça lui vient. » Je lui répondis en sou-riant : « Probablement de loin. »

Une heure encore s'écoula et nous quittâmes ensemble, parmi d'autres personnes, la fête et le bel immeuble georgien qui donnait sur le parc.

Nous ne parlâmes pas du baiser.

# IV

## Mary-le-Bone

# 1.

En France, c'est l'automne de la terreur. On arrête tout le monde. Famille, amis, connaissances. Terreur, parce que les gens se terrent, ou parce que des forcenés empêtrés dans leur logique de pureté réclament la mort à tour de bras ?

Il cherche à fuir les mauvaises nouvelles. Elles le rattraperont bientôt (quand tout sera fini ?). Les migrants affluent par bateaux entiers. Quantité d'amis de sa sœur Julie gagnent Londres qui ont pu échapper aux comités, commissaires et bourreaux spontanés. Un homme redevable aux Farcy lui propose une chambre, moins onéreuse que celle qu'il louait jusqu'ici. Où ça ? Mary-le-Bone. Mary-le-Bone ? Là où vit Violet ! Ça alors, la carte à jouer du destin serait-elle de nouveau entre ses mains ? Il s'y voit déjà, avec la fenêtre de sa mansarde qui donne sur le domicile des sonneurs de cloches de père en fille, aux premières loges pour observer ses mouvements de danse, puis, la nuit venue, souffler sa chandelle un peu après elle et avoir la sensation de veiller sur ses rêves. Il faut prévenir Hingant. Ne pas donner l'impression à son ami qu'il l'abandonne dans le grenier d'Holborn, qu'il ne sera plus dans les parages pour veiller sur lui, l'emmener faire des parodies de déjeuner et des simulacres de souper dans les tavernes de Wardour Street.

Dans un état d'excitation fabuleuse, François-René gravit quatre à quatre les marches qui craquent sous ses pas. Il frappe à la porte de la chambre mitoyenne. Pas de réponse. Une deuxième fois. Colle son oreille sur le panneau de bois. Décide de pénétrer à l'intérieur. Au même moment, la porte s'ouvre sur Hingant, habillé pour la noce, portant chemise et redingote, les cheveux blonds ébouriffés, hirsute et exagérément sentimental. Un dément.

« Ah, mon François ! C'est toi ! Je t'attendais. On ne va pas aller à la taverne ce soir. Je t'invite à souper. Installe-toi ! »

Le chevalier se laisse guider dans l'obscurité. Nuit noire de la chambre que deux bougies obliques posées dans des pots à moutarde démasquent. La table est mise. Écuelles grossières et vides, fourchettes à dents cassées, gobelets en étain remplis d'une eau croupie. Hingant attrape une chaise, se cale dos à la fenêtre, François-René s'installe en face de lui.

« Tiens, mon François, écoute la petite chanson que je viens de nous composer :

> *L'estomac à la guillotine,*
> *Robespierre, lui, mange à sa faim,*
> *Tous les jours on dit qu'il cuisine*
> *Son poulet, du sang plein les mains.*

— C'est bien meilleur que *La Carmagnole* ! » dit François-René en inspectant le visage de son ami.

Puis son regard se fixe sur une troisième assiette. Il n'y a guère prêté attention en prenant place à table, mais maintenant qu'il est assis, il remarque que le couvert est dressé pour trois.

« On attend quelqu'un ? Un autre invité ?

— Eh bien oui, dit Hingant en ne se départant pas du sourire nerveux qui lui balafre le visage. Tu vois bien, j'ai mis le couvert pour trois !

— Qui ?

— C'est pourtant évident ! Regarde nos assiettes : elles sont vides. On attend le Christ. Lui seul peut multiplier les pains. Et le vin. Et le poisson aussi !

— Hingant…

— Je ne crois pas qu'il multiplie les flageolets au bacon. J'ai lu les quatre Évangiles et j'ai pas trouvé un seul endroit où il est fait mention de flageolets au bacon. Mais comme il est à Londres, peut-être qu'il aura appris pour nous faire plaisir. On peut le lui demander. C'est le Christ, après tout ! S'il y a bien un type à qui on peut tout demander, c'est le Christ ! Il nous dira, comme au copain Lazare : "Lève-toi et mange !" »

François-René se raidit tout d'un coup. Il vient de voir apparaître trois grosses taches d'un rouge sombre sur une des manches de chemise de son camarade. Il cherche des yeux une arme, un couteau, et remarque un canif dont la lame est cuivrée de sang. Aussitôt il se lève, se penche en avant, laisse tomber sa chaise derrière lui et, comme on ouvre un rideau pour faire le jour dans une pièce obscure, déchire la redingote d'Hingant en faisant sauter au passage sept des dix boutons. Le malheureux s'est porté un coup de canif dans le sein gauche.

« À l'aide ! crie François-René en se précipitant dans le couloir. À l'aide, quelqu'un ? »

Alertée par les cris, la servante du logeur passe sa tête dans la courroie de l'escalier.

« Appelez un médecin ! Tout de suite ! C'est urgent ! Il y a un blessé ! »

Puis François-René franchit de nouveau le pas de la porte et fait s'allonger Hingant sur la paillasse.

« Qu'est-ce qui s'est passé, mon vieux ?

— Rien, mon François. Trois fois rien. J'avais faim. Je me suis dit qu'un petit téton, je pourrais le mâchouiller longuement en rêvassant à autre chose. Que ça devait être bon. Comme une friandise. Un fruit confit. Que ça passerait inaperçu sous toutes nos épaisseurs de vêtements. Juste un téton pour apaiser la faim. Comme pour les bébés. »

Par chance, le médecin du logeur exerce au coin de la rue. Il accourt en moins de cinq minutes dans les jupons de la servante. L'entaille est de deux pouces, la prise en charge immédiate. En état de stupeur et de rage mêlées – le constat de sa propre impuissance à aider son ami incendie sa colère –, François-René fait les cent pas dans le couloir. Il faut prendre une décision. On ne peut pas laisser Hingant dans cet état pitoyable, surtout s'il est question de déménager à Mary-le-Bone.

Aller quérir M. de Barentin, gentilhomme qui est en relation avec les parents de son camarade. Ces derniers ont trouvé refuge dans le Suffolk et ils auront sûrement de la place à la campagne où le loger. Quelle heure est-il ? Trop tard pour aller faire tintinnabuler les cloches du hasard dans les parages d'une leçon de danse. Trop tard et trop loin. Joindre le père Barentin, et tenter de dormir un peu en attendant une aube meilleure, bien que, plongés en permanence dans ce brouillard incisif, les matins enchanteurs soient hautement improbables. Allez, une dernière nuit auprès d'Hingant, à tromper la fatigue et la faim dans la chambre sans perspectives du grenier d'Holborn.

## 2

Il a conduit son ami chez les Barentin. Se sent soudain bien seul, à Soho, sans l'idée d'Hingant dans les parages. L'enfance sans frère ni sœur, la jeunesse sans ami, et la vieillesse sans amour, voilà, songe-t-il, les trois âges de la véritable solitude !

Son rendez-vous avec le nouveau bailleur est fixé dans la soirée. Entre-temps, il ne peut s'empêcher de se diriger vers le Strand, dans l'attraction des nouveaux magasins, des boutiques de mode ou d'accessoires pour le logis ; il sait pertinemment que Violet suit le même itinéraire pour se rendre à ses cours de danse ou pour en revenir. Il l'imagine s'arrêter parfois devant une vitrine et perdre cinq minutes dans sa contemplation.

Il passe devant un magasin de vêtements pour hommes, revient sur ses pas. L'inscription de la boutique affiche « Grandes occasions », sans qu'on sache si cela concerne les prix des marchandises ou la qualité des habits destinés aux mariages, aux anniversaires, aux fêtes. Dans la vitrine, il repère une magnifique chemise blanche agrémentée d'un discret jabot qui en accentue l'élégance. Jette un œil au prix écrit à la craie sur un carreau d'ardoise. Exorbitant ! Comment va-t-il trouver de quoi se payer une chemise, une tenue admirable, s'il doit se rendre à la soirée organisée par la comtesse de Flahaut pour y retrouver Violet ?

La pomme d'or qu'on devait lui envoyer de sa Bretagne des Hespérides a dû, en chemin, rouler sous le pied d'un manant.

Ses pas le conduisent devant le bâtiment des leçons de danse, près de la paroisse de St Mary le Strand. La lourde porte cochère habituellement sur la défensive et qui indique, comme à Paris, que tout se passe dans la cour, est grande ouverte. Une association de charité organise une distribution de vin chaud. Il se dirige vers le comptoir, fixant des yeux les étages où, dans la colonne des fenêtres du milieu, il observe des jeunes filles qui vont et viennent d'une salle à une autre. L'homme qui sert le vin à la louche a un visage rubicond et un bouton de vérole qui scintille en plein milieu de son front. Il tend un verre à François-René avec l'amabilité d'une porte de prison. Non loin des tonneaux de vin, un petit groupe d'hommes discute ; il grossit de minute en minute sans que l'on puisse saisir la raison qui les lie : la boisson gratuite, les filles dans les étages ou l'opportunité de visiter l'enceinte d'une bâtisse généralement fermée aux visiteurs. Un homme se détache du groupe et fond droit sur lui, reconnaissable à son front suant – dès qu'il a bu un verre et en a renouvelé l'expérience – comme à sa dégaine d'oiseau de proie.

« Ça alors ? Monsieur de Chateaubriand qui boit un coup ! Ça devrait faire les gros titres !

— Je passais par là, dit calmement François-René. J'avais soif et j'ai vu qu'on distribuait du vin dans la cour.

— C'est une explication…, dit le suspicieux Pelletier.

— Oui, je sais bien que toi tu n'as jamais besoin d'explications pour te retrouver un verre à la main.

— Oh, ça va ! Plus le temps passe et plus je te trouve sarcastique à mon égard, alors que je ne veux que ton bien. Tu as des nouvelles de Julie ? Elle a pu sortir ?

— Elle n'a plus douze ans.

— Non, de France. Je parlais de la France.

— J'avais compris. Je crois qu'en ce moment tout le monde se terre. Je ne sais rien.

— Oh, attends, l'ami ! C'est l'heure ! »

Pelletier s'ébroue en décelant de l'agitation à l'embouchure de l'escalier.

« Que se passe-t-il ?

— À vrai dire, je ne suis pas seulement ici pour le vin, mais pour un papier. M. et Mme de Lhortie sont arrivés par Southampton en septembre. Eh bien, figure-toi que cette crapouille libertine de Lhortie n'aura pas mis longtemps à reprendre ses bonnes vielles turpitudes.

— C'est le climat, dit François-René. Il donne envie de se glisser dans des couvertures.

— On dit que M. de Lhortie a fait de ces cours de danse son terrain de chasse privilégié. Il les a toujours aimées jeunes et gracieuses. Tu imagines le scandale si la Lhortie apprenait ça. Ce que l'on tolère chez soi paraît souvent inacceptable sur le trottoir d'en face. Regarde ! Les filles vont descendre. Si ça se trouve, il est tapi dans les escaliers depuis midi et va paraître au bras de l'une d'elles.

— Les filles vont descendre ? »

François-René pâlit. Son cœur se serre. Il est persuadé que Violet fait partie des danseuses. De ce petit corps d'armée aux longues jambes, aux mentons levés, aux clavicules saillantes qui va surgir d'une seconde à l'autre et traverser la cour devant lui.

« Ce qui est embêtant avec les danseuses, dit Pelletier, c'est qu'elles ont de grands pieds. Alors elles attrapent froid, elles peuvent choper une pneumonie du jour au lendemain. Après, les grands pieds, y en a qui aiment ça ! »

François-René écoute d'une oreille distraite. Ses lèvres tremblent sans qu'il ait la moindre idée du mot qu'il lui dira. Chaque minute passée loin d'elle a eu valeur d'éternité. Et le hasard, qui facilite les rencontres, n'est pas du côté de son cœur en ce moment. Si elle apparaît, il ira la trouver. Elle sera sans doute en colère qu'il l'attende comme ça, effrontément, à la sortie de ses leçons, mais peut-être aussi que la colère se dissipera par la suite, que Violet retrouvera son sourire avant que la nuit tombe, quand ils marcheront tous les deux côte à côte dans les rues de la ville.

« Parbleu ! Il est là ! Ce coquin de Lhortie ! Vite François, cache-moi. Il ne faut pas qu'il comprenne que je l'espionne. »

Le chevalier a à peine le temps de jeter un regard éperdu d'espoir en direction de ce petit groupe de filles qui s'extirpent gaiment de la chrysalide de l'après-midi. Pelletier, qui s'est débarrassé de son gobelet, le prend par les épaules, le fait pivoter sur lui-même, dos à la cour, et le voilà qui se dissimule derrière la silhouette tremblante du chevalier, donnant l'illusion de deux messieurs qui discutent, indifférents au cortège dissipé des danseuses qui se dirigent vers le porche, toutes prêtes à se disperser dans le quartier.

Elle est là. Il ne reconnaît ni son rire parmi les rires, ni sa voix parmi les voix, ni son souffle parmi les souffles, mais il sait qu'elle est là. Il se fie à ses jambes qui tremblent, aux battements effarés de son cœur, à la dégringolade qui s'opère à l'intérieur. Pour toute récompense à son ardeur, il sent l'haleine abjecte de Pelletier tout près de lui. Une image lui vient à l'esprit : un certain soir de juin à Combourg, quand il crevait d'envie d'aller dire un mot à une vague cousine de son âge qui venait de passer deux jours au château et qui déjà montait dans l'attelage qui la ramènerait chez elle, tandis que lui restait captif d'un précepteur borné qui lui parlait de choses qu'il ne retiendrait pas.

On retient pour toujours ce qui nous échappe à jamais. Quel sombre paradoxe.

## 3

Pas même de quoi remplir une malle. François-René jette dans un baluchon le peu d'affaires personnelles qu'il possède et le voilà quittant sans regret sa mansarde de Soho pour remonter vers Mary-le-Bone. Les livres, il les laisse sur place, il viendra les chercher au fur et à mesure. Quelle veine, déménager pour venir habiter dans le quartier de Violet ! Il tremble de bonheur à cette idée et son excitation le porte. Le vent le prend pour Westminster, s'insinue par une oreille, une narine, la commissure des lèvres, profite d'une respiration pour s'infiltrer et rugir, et fait tressaillir chaque membre, retourne chaque organe, fait claquer chaque os, comme les pavés, les stèles et les vitraux de l'abbaye.

À l'orée de Mary-le-Bone, il rejoint son logeur, un homme à l'allure de gentilhomme espagnol, qui a fréquenté les Farcy à Paris.

« Bonjour, je suis François-René de Chateaubriand.

— Bonjour, je suis Lorent de Bénégui. Voici la clé. C'est au dernier étage. »

Diantre ! Encore un grenier ! Glacé en hiver, fournaise en été. Au demeurant, c'est à Mary-le-Bone. Il faut apprendre à ravaler son dépit et à savourer sa joie.

Au moment où son bienfaiteur s'apprête à rejoindre le magma d'épaules des passants pressés, il le retient un instant pour lui demander :

« Dites-moi l'ami, n'auriez-vous pas une chemise blanche à me prêter ? C'est pour une soirée. »

M. de Bénégui le dévisage. Il met cette demande originale sur le compte d'un jeune homme qui, à ce qu'on raconte, utilise comme tant de ses compatriotes affamés le linge pour tromper la faim. Particulièrement les chemises, qui sont sucées et mâchouillées après avoir été aspergées d'eau. L'idée qu'une pièce de son propre linge serve à ce genre de cérémonie le fait sursauter.

« Non, désolé.

— Ça ne fait rien. Bonsoir, monsieur. »

François-René gravit les quatre étages. Une des compensations des hauteurs mansardées est le point de vue, alors il fourre sans attendre la clé dans la serrure et pousse du plat de la main la porte de la chambre, passe sans s'attarder sur la paillasse pouilleuse et l'unique chaise de cuir noir qui peuplent les lieux, pour se précipiter, le cœur battant, vers la fenêtre et aviser le panorama.

À sa grande déception, la fenêtre donne sur un cimetière.

## 4

Que cette chambre est glaciale ! Où est-il, l'âtre de Combourg, et les messes basses échangées au coin du feu avec Lucile qui réchauffaient le cœur, pendant que le père disparaissait dans un coin du château pour démêler ses affaires, rugir en lui-même, paver dans son esprit des routes qui ne lui coûteraient pas un sou…

Dans le silence de la nuit, les rafales sont moins terribles que jadis et pourtant elles demeurent ses seules compagnes. Quelle ironie d'avoir à quémander une chemise blanche pour briller à une réception où il n'est même pas encore invité alors que dans la succession de son défunt père, on a fait état d'une garde-robe qui en possède une centaine. Être si imprévoyant de son destin est la marque des êtres ordinaires, pense amèrement le chevalier. Il se dirige de nouveau vers la fenêtre et promène son regard sur la rue faiblement éclairée. La petite marchande de roses de Damas qu'il a vu rôder dans les parages en fin de journée se fait entreprendre par le veilleur de nuit. Les voilà soudain qui se dissimulent en une étreinte dans la brèche entre

deux façades. Lui a-t-il mis une main sur la bouche ?
Ils réapparaissent furtivement après la ronde de police,
la dernière, qui vérifie que les lampes suspendues aux
façades possèdent des mèches de coton à la longueur
suffisante pour brûler jusqu'à l'heure décrétée, sous
peine, pour les locataires contrevenants, d'une amende
d'un schilling. Avec le brouillard qui s'épaissit, il
serait peut-être plus juste d'évoquer un faible scintillement. Le policier presse le pas en direction de la
taverne. Au-dessus du cimetière de Mary-le-Bone,
c'est le ciel jaune de l'hiver. Celui du froid, de la
fièvre et de la faim.

François-René pense à l'ami Hingant, qui, dorénavant, sous les soyeux crépuscules de la campagne
anglaise, doit renaître à la vue d'un ciel plus clair que
la masse bruissante des forêts de chênes. Ici, dans ce
cloaque urbain, aucune perspective. La nuit, plus
opaque qu'une marmite de soupe posée sur une table
où l'on n'est pas convié. Dans la vitre, son reflet glissant de jeune homme émacié aux yeux ardents. Le
long nez typique des Chateaubriand. La petite taille et
néanmoins la fière allure. Heureusement qu'il n'a pas
une once de gras à offrir, sinon lui aussi s'emparerait
d'un canif et asticoterait son fantôme. Mais dans le
reflet de la vitre, la silhouette spectrale du chevalier
est vite estompée par la bruine, à l'image de ces belles
qui troublent l'eau de leur bain d'une poignée de son
pour que le corps ne s'y dévoile pas dans sa nudité
crue.

Soudain, des chuchotements. Il tend l'oreille.
Distingue des voix grêles sous sa fenêtre. Celles de
deux garçons, la vingtaine.

« Écoute Gideon, on a nos lanternes. Y a pas à s'inquiéter. Et la police, à cette heure-ci, elle est à la taverne.

— Ouais je sais, je sais.

— Allez, on y retourne ! C'est le cimetière la nuit qui t'effraie ? Les histoires de loups-garous ? De fantômes ? De malédictions ? C'est de la littérature, bonhomme, et nous, on est des scientifiques, maintenant. Faut qu'on voie les choses de manière scientifique, pas vrai ?

— Ouais.

— Je creuse, tu prends ce que tu peux. Si tu n'y arrives pas, on inverse les rôles, c'est d'accord ?

— C'est d'accord.

— Allez, Gideon. On y retourne ! »

Les deux comploteurs s'éloignent. François-René suit des yeux les petites bougies enchevêtrées dans l'une et l'autre des lanternes qui oscillent dans la nuit. Elles clignotent encore à l'orée du cimetière. Un instant, sous une torche allumée, les deux silhouettes s'agrandissent démesurément. Et puis de nouveau, juste deux faibles scintillements mobiles.

Le chevalier réfléchit un moment. Tourne en rond. Tente de se concentrer sur autre chose. L'écriture en cours. L'essai sur les révolutions. Et puis, mû par une sorte d'impulsion enthousiaste, il attrape son manteau, prend avec lui la clé du logement, dévale les escaliers et s'enfonce dans un bain de brouillard qu'on penserait turc s'il n'était pas glacé.

La visibilité est meilleure du côté du cimetière. Les morts de la veille ont peut-être une ultime provision de souffle pour éloigner la fumée. N'y aurait-il pas dans ces deux excités qui bavardaient sous sa fenêtre un moyen de récupérer une chemise ?

En trois rues à peine, il franchit le portique du cimetière ; pas l'entrée principale, mais celle qui donne directement sur le carré des indigents. Il s'élance à la rencontre des deux jeunes gens, s'annonce dès qu'il les aperçoit pour les informer de ses intentions pacifiques. À ses pieds, un spectacle pathétique : une tombe profanée, une femme au corps jaunâtre, un monticule de terre au sommet duquel une lanterne fait reluire la pelle qui y est plantée, et, sur un banc, un jeune homme à moitié retourné, une jambe sur l'autre, un bras pendouillant, qui dégobille sans fin, par soubresauts, le plus clair de ses tripes dans l'herbe mouillée.

Le second jeune homme s'approche de François-René. Ni l'un ni l'autre ne paraissent bien menaçants ; quoi qu'il en soit, l'habitude prise par le chevalier sur le continent américain d'aller où sa curiosité le mène a façonné en lui l'imprudence du courage.

« Qu'est-ce que vous faites ici ? »

Le jeune homme auquel il s'adresse tient un couteau de cuisine dans l'une de ses mains.

« Nous sommes étudiants en ostéologie et myologie », dit le garçon aux épaules molles et à la barbiche rousse qui lui fait face.

D'un geste rapide, il fait passer son couteau d'une main à l'autre, et présente au chevalier celle qui se retrouve libre.

« Moi, c'est James ! dit-il alors que leurs paumes se touchent furtivement.

— Moi, c'est Peter », répond François-René.

Peter ? Il a tellement appuyé sur le « r », le prononçant à la française, qu'il aurait mieux fait de dire simplement « Pierre ». Mais le jeune homme à la barbiche rousse n'y prête guère attention ; on n'erre pas dans un cimetière la nuit pour connaître la vérité sur les gens qu'on y croise.

« On a toute une liste de choses à rapporter, mais Gideon a flanché dès la première oreille.

— J'ai pas pu, glurp… »

Le second jeune homme est aussitôt interrompu par un nouveau spasme.

« C'est un enfant gâté, il a été élevé dans la soie du West End », dit James.

Reprenant ses esprits, Gideon brame en se contorsionnant sur son banc :

« Je voulais étudier le latin et le grec !

— Il voulait étudier les langues mortes, pas la médecine. Moi, je lui ai dit, à Gideon : On est des scientifiques maintenant. Faut réagir en scientifiques. Tu veux continuer à étudier les Latins et les Grecs ? Eh bien suis-moi, je t'emmène dans un endroit où tu vas trouver plein de langues mortes ! Ha ha ! Heureusement qu'il ne voulait pas faire théologie, il n'aurait jamais mis les pieds dans le cimetière de Mary-le-Bone !

— Si je comprends bien, dit François-René, vous voulez emporter un cadavre pour le disséquer, c'est ça ?

— Pas tout le corps, quand même ! On ne saurait pas où le mettre après. C'est qu'on habite assez loin de

175

la Tamise. On a une liste de trucs pour nos devoirs, études de la forme, des rapports, du fonctionnement. La fille, là, à vos pieds, c'est sans doute une fille des rues, elle a été enterrée dans le carré des indigents il y a à peine cinq heures. On a attendu cachés dans un bosquet de buis, on s'est pris des trombes d'eau sur la figure, ce qui explique pourquoi Gideon a l'estomac qui a sacrément vrillé. Il voulait rentrer chez lui de peur d'attraper une pneumonie, mais je lui ai couru après et avant qu'il ne franchisse le premier pâté de maisons je l'ai convaincu de revenir. Hé, mais puisque vous êtes là, vous ne voulez pas nous donner un coup de main ? »

François-René esquisse un mouvement de recul qui témoigne de sa répulsion face à une telle proposition. Il scrute le corps sans vie de la pauvresse. Dans sa triste réalité. Sans transcendance aucune. Il pense aux effigies de marbre, aux riches décorations, aux fastes des tombeaux de Westminster. Décidemment, tout le monde n'est pas logé à la même enseigne, que ce soit dans la vie ou dans la mort.

L'étudiant fouille le rembourrage de sa culotte puis ouvre sa main :

« Trois pièces si vous nous rapportez quelque chose ! »

Les pièces luisent sous la lune, dans le faisceau des deux lanternes. François-René y voit les boutons de sa chemise blanche ainsi qu'un bon repas. Sans tergiverser, il prend le couteau que lui tend le rouquin et s'approche de la défunte.

« Vous voulez quoi ? demande-t-il.

— Peut-être le thorax. Pour ça, faudrait faire une incision à partir de la partie haute du cou. En même temps, selon son état, le thorax peut se démantibuler.

Le bassin, c'est mieux parce que c'est articulé. Ou alors le tronc, comme ça, on aura les organes avec. Le crâne aussi ce serait intéressant, avec toutes les connexions, les complexités, on aura des tas de choses à étudier. Et puis après, on pourra le revendre à un comédien qui joue dans une pièce de Shakespeare, pas vrai Gideon ?

— Comment voulez-vous que je m'y prenne ? s'agace François-René en surplombant le cadavre.

— Il nous faut aussi un grand dorsal, dit Gideon sans bouger de son banc. Pour Martha, souviens-toi, elle voulait qu'on lui en ramène un. Normalement, ça se trouve entre les vertèbres lombaires et l'angle de l'omoplate, il vient s'insérer en haut de l'humérus.

— Martha, c'est sa copine, dit James dans un sourire complice. Étudiante, comme nous.

— Je ne sais pas si je vais pouvoir satisfaire Martha ! hurle François-René en approchant la lame du couteau de la partie haute du cou de la dépouille.

— Imagine que tu es garçon boucher, dit James. Les garçons bouchers, c'est pas un problème pour eux.

— Alors pourquoi ne viens-tu pas le faire à ma place, camarade ?

— Je ne peux pas tenir la lanterne et t'aider.

— Moi je peux tenir la lanterne, dit François-René.

— Je ne vais quand même pas te donner trois pièces pour tenir une lanterne.

— Alors Gideon peut tenir la lanterne ?

— Allons, allons, Gideon non plus ne peut pas tenir la lanterne, Gideon est mal en point. S'il ne faisait pas si froid, Gideon se serait déjà évanoui. Rapporte-nous un truc et tu auras mérité tes pièces tout en contribuant à nos études.

— Cinq pièces et je prends une oreille !

— Quoi ? Rien qu'une oreille ? Mais c'est un truc que je pourrais très bien faire !

— Alors fais-le ! »

Gideon et James échangent un regard inquiet et désolé, puis conciliant.

« OK, va pour une oreille ! »

François-René avance sa main, dégage les cheveux de la femme encombrés de terre humide et noire. Pour se donner du courage, il se récite du Ronsard : « Mignonne allons voir si la rose… » Le mot « rose », dans son esprit, a le pouvoir de recouvrir d'un son embaumant l'atrocité de son acte ; la rose lui rappelle les ornements des appartements du Palais-Royal qu'il a visités dans le sillage des Farcy, la magnificence simple des rosiers grimpant sur le mur de la petite maison de brique de George Washington à Philadelphie, les roses qui ornent les clés de voûte dans l'abbaye de Westminster, et pendant que sa mémoire furète tel un loir d'un souvenir à un autre, ce vieux crevard de Ronsard veut baiser et croit qu'un poème va l'aider à faire ça, à conquérir sa dulcinée les doigts dans le nez, « Cueillez, cueillez votre jeunesse », ça y est, il a agrippé l'oreille, elle est petite et parfaitement nervurée, elle ressemble à ces coquillages exotiques déchargés des navires en provenance de Terre-Neuve agglutinés dans la rade de St Malo, il approche le couteau, commence à fouailler la membrane, le couteau est mauvais, la prise manque de rigidité, ses doigts s'engourdissent, il les porte à sa bouche, souffle dessus, s'y reprend, tire l'oreille qui désormais pendouille à moitié, y réimprime la lame, ça vient…

## 5

Le libraire Deboffe lui a fait porter un pli à sa nouvelle adresse : la comtesse de Flahaut a fait savoir
qu'elle se rendra à la librairie de Gerrard Street avant
que la nuit tombe, sur le coup de trois heures. Le
temps d'attraper son manteau, le chevalier traverse les
jardins de Cavendish Square, enjambe en un souffle
Oxford Road, disparaît sous un déluge d'eau qui bat à
tout rompre au gré d'une vive averse, et se dilue dans
Soho. Trempé, crotté, essoufflé ; à l'angle de Brewer
Street, il ne prête guère attention au martèlement du
trot sans répit d'une chaise à porteurs. Le choc est
évité de justesse. Le premier des porteurs, sidéré par
l'imprudence du jeune homme, lui lance un chapelet
d'injures.

Puis, déposant délicatement la chaise sur le pavé en
réponse à un coup d'éventail dont lui seul connaît le
maître mot, l'homme en déplie le toit, de sorte que la
ravissante personne qui y siège n'ait pas à se contorsionner pour s'en extraire. François-René est frappé
par son élégance. Sa beauté. Ça ne peut être que la
comtesse de Flahaut. Refusant l'aide empressée de ses

serviteurs, la femme du monde s'ébroue sur le trottoir sordide dans une robe redingote émeraude brodée de papillons bleus, fermée par des boutons et agrémentée d'un large col cape ; des foulards amidonnés comblent l'encolure, masquent son décolleté et sont assortis au jupon qui laisse entrevoir sa taille ensorcelante.

Maculé des pieds à la tête du porridge infâme des rues de Londres – fumier, chats morts, excréments humains, crottin de cheval, paille tombée des charrettes – le chevalier est mortifié de honte. Allez, il va s'adresser à cette migrante de luxe dans son meilleur français, et l'impression sera bonne.

« Mes hommages, madame, dit-il dans un sursaut de maintien. Je crois que nous nous rendons à la même adresse : la librairie du sieur Deboffe.

— C'est exact, jeune homme, mais y allez-vous accoutré de la sorte ? Vous me faites l'effet d'une chouette hulotte ravie par un bain de boue ! »

Le chevalier réplique d'un ton assuré :

« Je préfère vous faire l'effet d'une chouette hulotte que d'un sans-culotte, madame. Comme je préfère les bains de boue aux bains de sang.

— Quel drôle de gentilhomme avons-nous là ! s'exclame la comtesse, piquée d'un vif intérêt. J'ai lu un article très intéressant dans la gazette du matin qui raconte que la boue des rues de Londres se revend à prix d'or chez les paysans anglais, et que cet engrais hors du commun contribue à rendre incomparable aux yeux du monde la beauté de leur campagne.

— Aucun artifice, madame, ne pourrait contribuer à rendre incomparable aux yeux du monde l'éclat de votre beauté. »

Tous deux se jaugent, s'analysent, tentent de faire le point sur ce qui vient d'être échangé. François-René ne parvient pas à estimer si le compliment était joliment troussé ou s'il aurait mieux fait de s'abstenir et de garder pour lui sa dernière saillie. La comtesse lève un sourcil indulgent, et fait signe au second des porteurs d'abaisser le parapluie qu'il brandit avec empressement au-dessus de sa tête.

« La pluie a cessé, elle sera bientôt remplacée par la nuit.

— C'est moins heureux que par le soleil », dit François-René.

De nouveau, la comtesse scrute le visage du jeune homme pour savoir s'il faut donner à cette réponse plus qu'une intention, un message ; tant de Français aux abois parlent par code aujourd'hui ; fidèles à la reine et au roi, migrants dont le nom est compromis mais la sensibilité acquise à la République, indécis à l'heure où l'indécision vous condamne, rejetons de famille aristocrate apeurés et instables, girondins en fuite, subordonnés de la terreur, agents de ces barbares qui ont profané pour la seconde fois les tombeaux de la nécropole de Saint-Denis. Elle remarque, malgré les traits émaciés du jeune individu qui se tient devant elle, un air rêveur, noble et obstiné. L'ensemble n'est pas dénué de séduction. Vingt-cinq ans, tout au plus. Un visage intelligent, mais la dégaine d'un palefrenier !

« Vos papillons sont magnifiques, madame.

— Pardon ?

— Les papillons sur votre robe.

— Ah ? Merci, jeune galant, dit-elle en rosissant légèrement. J'apprécie les hommes qui ne sont pas sensibles à la beauté uniquement à l'instant où elle leur apparaît dans sa désarmante nudité.

— Connaissez-vous ce poème iroquois qui dit que les bleus papillons au-dessus des champs de haricots en fleur, avec leurs visages peints de pollen, se poursuivent les uns les autres dans des mouvements chatoyants ? »

La comtesse lui lance un regard ébahi :

« Non, je ne le connaissais pas. Je crois même n'avoir jamais vu de champ de haricots en fleur.

— Ah.

— Ni d'Iroquois.

— On en trouve peu dans Soho.

— Ceci explique cela.

— Mon habit indigne me cause de l'embarras, madame. Voulez-vous que j'attende dehors pendant que vous choisissez vos livres ?

— Allons, fait-elle gaiement, ne soyez pas ridicule, de l'autre côté de la Manche nos deux têtes seraient sans doute jetées dans le même panier, alors... De toute manière, dans une librairie, j'imagine que les regards ne se porteront ni sur votre accoutrement ni sur le mien, mais sur les livres qui s'y trouvent.

— Oui, madame, c'est pourquoi les librairies sont des lieux à la fois si nobles et si démocratiques.

— Ah ! Vous parlez comme un Américain ! Si je me rends aujourd'hui chez le libraire Deboffe, c'est que j'y ai rendez-vous. Mais je n'en sortirai pas sans un livre, soyez en assuré ! »

Définitivement conquise par le charme de cette rencontre impromptue, la comtesse s'anime, se pare de séduction. Elle congédie les porteurs avec empressement comme on chasse un amant pour un autre, invite François-René à l'escorter le temps des trois ou quatre rues qui se marchent dessus jusqu'au 7, Gerrard Street, et chemine au plus près de lui, malgré la poussière et la boue qui collent à son habit, les mauvaises nuits de fatigue qui humectent sa dégaine et les cernes mauves qui alunissent ses yeux.

Au passage d'un cabriolet qui s'engage trop vivement dans une des petites rues de Soho sous les huées des passants indignés, elle lui attrape le bras, se colle à son épaule, jubile à cet encanaillement. Voilà, pense-t-elle, le genre de rapprochement que permettent à la fois les pavés inégaux des grandes villes et l'exil vivifiant des sombres révolutions.

# 6.

Adélaïde de Flahaut de La Billarderie est une femme de trente-deux ans confiante en son pouvoir de séduction sur les hommes, dont, selon elle, la plupart méritent aussi peu qu'un rien les captive. Ancienne et jeune maîtresse de Talleyrand et de bien d'autres, elle n'a jamais ouvert son salon parisien à des ambitieux pour qu'ils se contentent d'admirer la tapisserie.

De l'assurance et de la grâce, de la dévotion à un mode de vie qui a perdu de ses plumes tel un dindon pourchassé par un quaker sanguinaire, elle vient du monde des amours légères qui se consomment sans se consumer et ne portent pas à conséquence. En cas d'accidents braillards, on élève ou on place les rejetons du plaisir ; au mieux, ils ont l'élégance de disparaître d'eux-mêmes en très bas âge. Autre enfantillage, en cas de grand amour inconsolable, de partenaire infréquentable en raison d'un excès de cœur, on force ces sangsues encombrantes à partir aux colonies. Les îles (les Vierges et les moins vierges) sont faites pour y envoyer celles et ceux qui ne supportent pas le libertinage, qui aiment vivre toute leur vie sur un périmètre

184

réduit, dans la rareté de nouveaux épidermes. La comtesse a de beaux atours, un petit nez mutin au milieu d'un visage agréable, une taille splendide, effrontée, qui lui permet de porter le plus souvent le genre de robes modernes calquées sur le modèle de la redingote, la jupe ouverte sur un jupon qu'on trousse à loisir. Des yeux de biche, ce qui n'étonne point quand on sait que sa mèrc fréquentait le Parc-aux-Cerfs, le coquet bordel champêtre de Louis XV, où des rabatteurs serviles entassaient dans la confusion, la violence et la bonne humeur de très jeunes femmes avant de les présenter au trébuchet, l'antichambre du plaisir, comme la présentation à la guillotine est devenue l'antichambre de la mort.

La voyant débarquer dans un tourbillon de poussière et de joie sur le seuil de sa librairie, Deboffe se précipite à sa rencontre.

« Ah, madame, vous ici, avec le chevalier ?

— Le chevalier ? Quel chevalier ?

— Eh bien ! Le chevalier de Chateaubriand.

— Chateaubriand ? Mais je voulais justement vous rencontrer ! Le hasard est de notre côté. Ce bon Deboffe m'a parlé de vous. Et Pelletier aussi, bien sûr ! Tout Londres me parle de vous… »

François-René éprouve un léger désagrément à l'évocation du nom du journaliste. Encore une ambassade opportuniste. Se prémunir comme de la peste contre ce genre d'individus qui ramènent la moindre information à eux et veulent participer à tout.

« Pelletier m'a fait vos louanges. Il m'a raconté des choses édifiantes sur vous. Vous avez rencontré le roi de France à Versailles, assisté à la prise de la Bastille, vous êtes allé aux Amériques, vous avez rejoint l'armée des Princes, vous vous êtes battu au siège de Thionville, cela à tout juste vingt-cinq ans !

— Si je ne devais garder qu'un titre de noblesse parmi tous ces faits illustrés, dit François-René, je dirais que je me suis aussi laissé enfermer une nuit entière dans l'abbaye de Westminster.

— Ha ha ! Que vous êtes charmant ! Drôle, divertissant ! Pelletier m'avait parlé de votre fantaisie. Et le libraire, notre bon libraire, m'a appris que vous écriviez. C'est merveilleux d'écrire !

— Moins merveilleux que d'être lu. Mais oui, madame, j'ai un projet de livre.

— Eh bien, je veux participer à votre œuvre et souscrire à votre projet. Qu'en dites-vous ? »

La comtesse en plissant les yeux révèle un petit tertre de pommade qu'elle a dû appliquer sur ses cils pour les faire briller.

« Puis-je vous demander quel est votre sujet ?

— Difficile à expliquer. Disons que je prépare un essai.

— Un essai ? Comment ça, un essai ? Mais non, voyons, ce sera un coup de maître, j'en suis certaine ! Vous réussirez ! C'est un roman galant ?

— Euh… plutôt historique.

— Un roman historique, j'adore ! Surtout s'il est ponctué de scènes galantes.

— J'en mettrai, madame. Pour votre plaisir.

— C'est parfait ! J'ai trouvé qu'il n'y en avait pas suffisamment dans ce livre dont tout le monde a parlé, le *Werther* de Goethe. Ou alors, elles n'étaient pas assez piquantes.

— Les scènes d'amour sont essentielles. Les guerres se font pour des places fortes et des colonies, des possessions et des territoires. L'amour aussi. Pour les territoires de l'âme.

— Vous avez entendu, Deboffe ? Bravo, monsieur ! Comme cela est bien tourné », dit la comtesse en applaudissant par brefs clapotis.

Le libraire sort de sa remise avec la sélection d'ouvrages qu'il a préparée pour la comtesse. Il se propose aussi de lui présenter les dernières nouveautés reçues le matin même.

« Oh, fait-elle, la flatterie au bord des lèvres, pour toute nouveauté désormais je ne veux lire que M. de Chateaubriand ! Au vrai, mon cher Deboffe, ma présence aujourd'hui tient à un rendez-vous que je me suis permis de fixer dans votre librairie. J'attends un couple d'Anglais pour un entretien. Ils ne vont pas tarder.

— À votre service, madame. Vous pourrez disposer, le temps qu'il vous plaira, de mon petit salon au premier étage.

— C'est fort aimable de votre part ! »

Sans attendre, elle attrape sa robe à deux mains tel un bouton de rose et s'engage dans l'escalier.

« Serait-ce abuser de votre hospitalité, dit-elle en se retournant à mi-trajet, de vous demander s'il vous reste une tasse de ce merveilleux chocolat que vous m'avez offert l'autre fois ?

— Je vais vous en préparer, madame.

— C'est vrai ? Oh, merci ! Que cette fin de journée est admirable ! Quant à nous, chevalier, dit-elle en cherchant le regard de François-René, maintenant que nous nous sommes rencontrés, ne nous perdons pas de vue. »

Le chevalier acquiesce.

Avec cette effronterie qu'on pardonne aux comédiennes, la comtesse ajoute :

« On dit que votre femme est à Paris et que mon mari est en France. Les conditions ne sont-elles pas propices à nous réunir ?

— Certainement, madame.

— Magnifique ! Ah, que j'aime ces circonstances qui rapprochent momentanément des êtres que le destin doit absolument rapprocher. Goûtez comme je viens de formuler cela ! Je vais le mettre dans un livre ! »

François-René ne bronche pas.

« Dites-moi, pendant que j'y pense, que faites-vous la semaine prochaine ? Je parle du 17 novembre précisément. »

Transi de joie, prêt à s'évanouir, il bluffe :

« Je ne sais pas, madame. Rien ne s'écrit à l'avance en ce moment.

— Ah oui ? Eh bien moi, je sais ! J'organise une grande fête pour célébrer l'accession au trône d'Elizabeth I$^{re}$. Il faut savoir montrer à ceux qui nous accueillent que nous honorons les coutumes et les anniversaires qui leur sont chers. La soirée se donnera dans une résidence prêtée par mon amie la duchesse de Devonshire, sur les terrains du duc de Portland. Une dînette, suivie d'un bal. Les invitations sont lancées entre Anglais et Français de même rang et, disons, de même sensibilité. Je serais honorée que monsieur de Chateaubriand se montre à cette soirée.

— Vous pouvez compter sur moi », dit-il en dissimulant son triomphe.

## 7

Pendant que le libraire prépare une tasse de chocolat chaud pour la comtesse et que François-René baguenaude sans intention particulière parmi les rayonnages consacrés aux Grecs et aux Romains, les Anglais attendus font irruption dans la boutique. L'homme entre deux âges, sec et fagoté comme un jardinier endimanché, les cheveux poivre et sel, est accompagné d'une fraîche et jolie brunette dont les yeux clairs intriguent, entaillent les illusions, frappent puis condamnent aussitôt le moral du chevalier.

« Les Anglais ! » s'exclame Deboffe, habitué à en voir partout dans les rues mais rarement dans sa librairie.

Tétanisé d'effroi, François-René s'abrite, inutile au monde, derrière une pile de livres, ne quittant pas des yeux Violet qu'il a reconnue avant même qu'elle ne fasse un pas en avant de la première étagère. Il fixe avec dégoût l'idiote teinture brune appliquée à ses beaux cheveux blonds. Le caprice, qui en toute chose permet à une jolie fille de choisir une direction opposée à sa nature sur un simple coup de tête, blesse éperdument son cœur.

La comtesse, alertée par les grandes démonstrations du libraire, quitte à regret le petit salon dans lequel elle s'est réfugiée et se présente, en se voûtant un peu, sur le palier du haut.

« Ah, vous voilà ! » lance-t-elle sur un ton chaleureux.

Puis, s'adressant à Deboffe et François-René :

« Mes amis, je vous présente un butler fort réputé, M. Stewart, et l'une de ses recrues pour la soirée que je vais donner en novembre. Je tiens à interroger moi-même le petit personnel. Je ne veux ni de chapardeuses ni d'espionnes à la solde de je ne sais quelle faction. Même si M. Stewart, qui a servi pour Lady Bessborough en qui j'ai entière confiance, se porte garant de cette jeune et charmante créature, je préfère l'informer des règles de conduite à la française. »

François-René se sent obligé de sortir de l'ombre. D'un regard sévère, il détaille le butler, dont la figure et l'attitude lui déplaisent sans réserve. Deboffe s'engage sur les premiers degrés de l'escalier avec la tasse de chocolat entre les mains, aussitôt suivi par Stewart, qui se comporte comme s'il était chez lui. Violet fait un pas pour les rejoindre mais François-René se précipite à sa rencontre et la retient par la manche. Elle le regarde et sourit :

« J'aime l'odeur du chocolat chaud, dit-elle. C'est euphorisant.

— Tout ce qui couvre votre odeur, dit-il d'une voix altérée par l'émotion, je le jette par-dessus bord. »

Puis, désignant l'homme qui s'agace de progresser péniblement dans l'escalier tandis que Deboffe avance avec précaution, une marche après l'autre, pour ne pas renverser une goutte du précieux breuvage :

« C'est lui, la relation de votre père ?

— Oui, c'est grâce à M. Stewart que je vais être engagée. Je crois que mon père, ajoute-t-elle sur un ton amusé, a de grandes ambitions pour M. Stewart et pour moi.

— De grandes ambitions ? C'est répugnant ! dit François-René. Vous donner à un domestique, vous appelez ça de grandes ambitions ? »

Il prononce ces paroles sous l'empire d'un mélange de stupeur et de colère, mais Violet lui oppose son plus franc sourire, et répond :

« Oh, je vous taquinais ! Pas étonnant qu'avec cette mentalité-là, on ait eu envie de changer les choses par chez vous.

— C'est quoi, d'abord, ces cheveux noirs ? Ça ne vous va pas du tout !

— C'est une collègue d'Holborn, aux perruques, vous savez, qui m'a donné une lotion pour me teindre les cheveux en aile de corbeau, c'est la dernière mode, ici à Londres.

— Oui, enfin, la dernière mode, c'est souvent comme la première fois : totalement décevant.

— La première fois de quoi ?

— Vous m'avez très bien compris.

— Il faut bien une première fois pour qu'il y ait une deuxième fois, dit-elle avec l'effronterie du bon sens.

— Oui, eh bien, moi, répond le chevalier, je passe directement aux deuxièmes fois ! Et je pourrais vous embrasser, là, tout de suite. Au cœur d'une librairie, ce serait beau.

— Vous auriez dû le faire au lieu d'en parler. Il faut que j'y aille maintenant, ou bien nous allons paraître suspects. M. Stewart va me faire les gros yeux. »

L'attention de Violet se dresse en direction de l'escalier. Le butler se tient à l'étage, les deux mains en appui sur la rampe.

« Allez, pressez-vous, Violet ! Vous croyez que la comtesse n'a que ça à faire, de vous attendre ! »

Comme François-René se décide à l'accompagner, Stewart lui oppose un regard noir, sourcils en barricade, chargé d'avanies comme un ciel d'orage. Le chevalier comprend qu'il vaut mieux, pour ne pas se compromettre, rester parmi les livres.

La petite sonneuse de cloches monte rapidement retrouver la comtesse et le butler. Pas le temps de geler dans le dépit amoureux, François-René est rapidement rejoint par Deboffe qui descend les escaliers, joyeux, sifflotant, les mains libérées de sa tâche périlleuse d'apprenti maître chocolatier. Se postant près du chevalier, il lui dit, signifiant que les murs de sa librairie ont des oreilles et que ces oreilles sont à son service :

« Alors, c'est donc elle ? La fille qui rend ton cœur inexplicable. »

## 8

Le manoir où se tient la soirée de la comtesse de Flahaut se situe sur le flanc est du terrain de chasse appartenant au duc de Portland. Ouverte sur une vaste cour intérieure dans laquelle les invités de prestige peuvent laisser leur attelage et leur chaise, et encadrée par deux bâtiments annexes – une remise et un réfectoire mis à la disposition des cochers, postillons et porteurs –, la façade principale est aussi sobre et nue que l'intérieur promet d'être fastueux. Sur le perron, pas moins d'une demi-douzaine de domestiques patientent pour s'assurer de l'identité des invités. Cravatés de blanc, ils pourraient être confondus avec les soldats de la cavalerie du comte d'Artois tout droit sortie des brumes mouchetées de sang des faubourgs de Valmy.

François-René ne cesse d'inspecter sa chemise ; il n'a pas les moyens de s'offrir un fiacre ou une chaise et malgré la courte distance à pied depuis son grenier de Mary-le-Bone, il prend garde que son habit ne soit pas, à la dernière seconde, souillé de quelque immondice projetée en chemin.

En intrigue avec le temps qui passe pour apparaître au moment idéal – voici la règle : assez de monde pour s'y fondre, pas trop pour pouvoir encore se lier aux bonnes personnes –, il se présente finalement en avance dans le hall d'accueil : l'escalier est le théâtre d'un flot incessant de domestiques en tout genre. Il jette des regards furtifs, essaie d'attraper au vol la silhouette de Violet, comme un papillon de nuit qu'il faut saisir avec précaution pour lui offrir à nouveau une bouffée d'air pur.

À l'étage, la vaste salle de réception entièrement tapissée de bleu indigo aux riches crépines à franges d'or est scandée de chandeliers en verre, de lustres qui bourgeonnent du plafond comme des fontaines rococo inversées, parée de fleurs exotiques, dont certains spécimens à l'odeur capiteuse ont été renvoyés dans la journée, par précaution : il ne manquerait plus qu'une duchesse anglaise les renifle d'un peu trop près et s'évanouisse ; on leur a donc préféré des tulipes natives des Provinces-Unies, d'une éclatante couleur rouge.

Entre les canapés en tapisserie d'Aubusson (propriété personnelle de la comtesse, transportés pour atténuer gentiment le *homesick* de la haute société française) et les chaises aux dossiers étoilés de clous d'or jaillissent quelques sculptures issues des fouilles récentes pratiquées dans les grottes d'Italie. Y ont été sortis de terre des Jupiters aux sexes turgescents et des Apollons aux tout petits pénis, qui pourront sans doute ravir les Français mais risquent de choquer les Anglais… Voilà pourquoi a été revue, à la dernière minute, la disposition des candélabres. Enfin, sur de grandes tables en bois couvertes de nappes brodées, des armées de fourchettes à trois dents assiègent des forteresses de victuailles livrées sur des plateaux d'argent.

Fort contrarié de ne pas rencontrer de visage familier sur lequel se suspendre un instant – éviter à tout prix de tomber sur le collant Pelletier ou s'en serait fini de ses plans –, François-René évolue prudemment d'une conversation à une autre comme on se penche sur un buffet pour en aviser les douceurs. Ici, une femme du monde confie à deux migrantes : « Même en exil, il n'est pas né celui qui me fera dormir dans un lit sans rideaux. » Là, un gentilhomme français raconte à un quarteron de messieurs en habit d'apparat : « Un catholique irlandais de la paroisse St Patrick à Sutton Street m'a appris un savoureux proverbe de chez lui qui aurait pu être écrit de la main de notre regretté Diderot : "Puissiez-vous mourir au lit à l'âge de quatre-vingt-quinze ans, tué par la balle d'un mari jaloux". » Le groupe rit de bon cœur à cette gourmandise pour l'esprit. Néanmoins, l'ambiance générale est moins à la fête qu'on pourrait s'y attendre ; l'exécution récente de la reine à Paris contamine les conversations, obombre les visages ; la comtesse en a été si contrariée qu'une mauvaise langue a colporté dans Mayfair qu'elle aurait fait porter au Comité de salut public une missive lui demandant expressément de remettre l'application de la sentence au lendemain de cette soirée prévue de longue date.

Dans l'effervescence des derniers ajustements, François-René aperçoit Violet. Elle surgit dans la grande salle, au milieu d'une ribambelle de jeunes filles aux tuniques identiques, jupon bleu pâle et corset blanc cassé, chacune de leurs mains sollicitées par une bouteille de vin de Champagne. Après avoir posé les deux siennes sur la table dans l'alignement des autres, sous prétexte d'ajuster la nappe, Violet fait traîner l'instant jusqu'à ce que François-René la rejoigne.

« Il est tôt et je vais déjà être obligé de boire par votre faute, lui dit-il. En tout cas, à moins que ce ne soit une perruque, je suis heureux que vous ayez retrouvé votre couleur de cheveux.

— Oui, vous aviez raison. Je vous ai écouté. Quant à vous, quelle belle chemise blanche ! Vous êtes parfait. Oh, j'ai repéré la pièce où sont rangés les masques. On se retrouve au moment de danser ?

— Vous n'êtes pas sans savoir, Violet, que je ne suis ici que pour vous embrasser. Le reste m'effraie d'inutilité.

— Ça alors ! Le jeune monsieur de Chateaubriand. »

Cette déplaisante intrusion a pour conséquence de chasser Violet en coulisses.

« Pelletier, comment vas-tu ? » dit le chevalier sur le ton le plus enjoué possible, cachant sa vive contrariété et son profond désarroi.

Dans sa tête, tout s'effondre. Elle était là. Elle est partie. Même momentanément, cela le tue.

« Ma foi, dès qu'il y a du vin, je me porte comme un charme. Ou plutôt comme un orme puisque nous sommes à Londres. J'ai appris que tu avais quitté le logement que je t'avais trouvé. On dirait que tu t'obstines à saboter les initiatives que j'ai prises pour toi.

— Pas le moins du monde. Regarde, je suis présent ce soir grâce à tout le bien que tu as dit de moi à la comtesse de Flahaut.

« — Ma foi, c'est vrai ! dit Pelletier, plus occupé à se resservir en vin qu'à déceler l'ironie dans les propos du chevalier. Il n'y a que du beau linge, ce soir ! Chacun parmi les siens. C'est d'ailleurs ce qui tient la société anglaise. En Angleterre, quand il y a des émeutes, c'est parce que les pauvres ont réellement le ventre vide, tandis qu'en France, s'il y a eu une révolution, c'est parce que les bourgeois n'étaient pas invités dans les fêtes. Tiens, tu devrais mettre ça dans ton essai ! Donne-moi ton verre que je le remplisse.

— Merci, ça va pour le moment.

— Allez ! Ne fais pas ton janséniste ! Tiens regarde, là-bas, la comtesse te sourit. Le sourire d'une femme, c'est un appel. Tu ne vas quand même pas y répondre sans un verre à la main ? »

François-René repère la comtesse, resplendissante dans une robe à la polonaise en taffetas mauve doublé de gaze, et dont l'emmanchement laisse étinceler, à la lueur des bougies, le leste de fins avant-bras dessinés pour tourmenter les hommes. Elle lève son verre en sa direction et fait mine, par politesse, de continuer à s'entretenir avec une toute petite dame âgée dont la silhouette osseuse et fragile tient en appui sur une badine de jockey.

Sur le point de les rejoindre toutes deux, se laissant guider par le carillon de son verre tendu, François-René remarque que la vieille dame est bossue, sans doute d'avoir porté pendant près de dix ans, à la cour du roi de France, une de ces coiffes imposantes et exquises qui vous placent les yeux au milieu du corps.

« Ah, monsieur de Chateaubriand ! s'exclame la comtesse, je suis heureuse de vous voir apparaître. Vous discutiez avec votre ami le journaliste ?

— Ah, c'était Pelletier ? Avec sa perruque, je l'ai pris pour le sommelier. »

La comtesse approuve d'un petit rire hoqueté.

« Oh que vous êtes spirituel ! Vraiment ! Approchez, que je vous présente à l'une de mes très chères tantes. Elle a fait le voyage de Suisse. Parlez à son oreille, je vous prie, elle est sourde comme un pot de chambre.

— J'espère que je ne vous ai pas interrompue dans votre conversation, madame, dit François-René en s'inclinant légèrement vers la tante.

— Pas du tout, répond celle-ci d'une voix aigre, nous parlions du climat londonien. Huit mois d'hiver au cours desquels on ne sait jamais ce qui va sortir du brouillard : un brigand ou une vieille connaissance.

— Le retour dans votre vie d'une vieille connaissance est la plupart du temps une forme de brigandage, dit François-René.

— On ne peut jamais prédire s'il va faire soleil ou pluie dans ce maudit pays, dit la tante. C'est désolant pour la coiffure.

— C'est pour ça qu'en Angleterre, il fait nuit plus tôt que chez nous, répond le chevalier. Pour ne pas se soucier du temps, les Anglais ont inventé la nuit hâtive. Il ne fait pas beau ou mauvais temps, il fait nuit !

— Je vivais à Vevey, dans le canton de Vaud.

— Pardon ?

— Je vivais à Vevey, hurle la tante.

— Vous viviez à Vevey ? »

Tout ceci, bien sûr, forme un cercle de jeu trop dispendieux pour lui. Il s'y prête galamment mais souffre en silence, n'ayant qu'un but, contrarié par avance et par mouvements, celui de retrouver Violet. De la prendre dans ses bras. De lui rendre son baiser volé. Rendre un baiser volé, on pourrait dire plus simplement : donner.

« Je vivais à Vevey au bord du lac Léman, où le climat est enchanteur. Et déjà, là-bas, jeune homme, on me racontait que l'automne à Londres est propice au suicide et qu'en cette saison il n'est pas rare que des corps infâmes affluent le long de la Tamise.

— L'automne est ma saison préférée, dit le chevalier.

— Alors c'est que vous devez être proprement infâme ! répond la tante avec, dans l'œil, une lueur vipérine.

— Moi aussi, intervient la comtesse, moi aussi l'automne est ma saison préférée. Enfin, l'une de mes préférées, à égalité avec les trois autres.

— Au moins le climat nous pousse à l'économie ! » lance une charmante personne qu'on présente aussitôt à François-René comme Mme de Füzesséry. « Pas besoin de se ruiner en fard pour dissimuler ses taches de rousseur. Avec le manque de soleil, elles se tiennent tranquilles. Le brouillard et la poussière de charbon, voilà notre onguent, notre protection naturelle. »

La jeune femme, qui porte une mousseline de coton brodé aussi simple et majestueuse que le pelage d'un cygne, tourbillonne un instant autour du trio puis s'en va rejoindre un groupe de gentilshommes en habit à rayures qui se confondent maladroitement avec le tissu d'un récif de fauteuils.

— Je sais que les rayures sont à la mode, dit François-René, mais de là à s'habiller comme un fauteuil.

— Que vous me faites rire, chevalier ! dit gaiement la comtesse. Savez-vous ce qu'on dit ? "Femme qui rit, à moitié dans ton lit."

— Oui, alors qu'il faudrait dire aussi : "Femme qui pleure, à moitié dans ton cœur." Qui est cette Mme de Füzesséry ? »

La comtesse s'offusque de ce soudain intérêt porté à une autre.

« Il est très impoli de se renseigner sur de jeunes inconnues, surtout si elles vous font de l'effet.

— Pardonnez mon incorrection, madame.

— Oh, ne vous en faites pas, tout est permis quand c'est le désir qui parle. Mais hâtez-vous de lui plaire, je crois qu'elle tient à rentrer le plus tôt possible en France. Malgré les noirs desseins, les sombres mutations de cette ignoble révolution. Mme de Füzesséry est musicienne, et c'est elle qui va nous jouer de la harpe ce soir. Je vous le concède, chevalier, c'est une très jolie femme.

— Si elle a conservé sa ligne, intervient la tante, c'est qu'à Versailles elle s'enfilait du vinaigre dans des flûtes à champagne.

— C'est vous, madame, réplique le chevalier, qui avez dû boire ces coupes tant le vinaigre imbibe vos propos. »

Laissant bouche bée la vieille tante, François-René prétend se lancer à la poursuite de la jeune harpiste. Mais ce n'est qu'un subterfuge. Son but est d'accéder au corridor qui mène aux coulisses, et de trouver derrière quelle pile d'assiettes, sous quelle nappe d'une blancheur encore intacte Violet peut se dissimuler. Il zigzague maintenant parmi les convives, comprend qu'on chuchote à son propos : « Qui est ce bel esprit qui semblait amuser notre chère comtesse ? Il est si pâle, si maigre ! – Oh, encore un de ces garçons de France qui porte la famine sur son visage… » Au moment où il s'apprête à accéder au corridor, Pelletier se plante devant lui, deux coupes de vin de Champagne dans les mains.

« Tiens, prends un verre chevalier. Au fait, j'ai vu le libraire Deboffe, hier. Il s'inquiète de ton travail à rendre.

— Je n'ai ni le cœur ni l'estomac à rendre quoi que ce soit en ce moment.

— Ah ? Parce qu'il faut du cœur en plus, pour écrire ? Bien sûr, je comprends que tu aies l'esprit tourmenté. Reste à savoir par quoi… Ou plutôt par qui ? Visiblement par une jolie comtesse. Ça ferait un bel article. La comtesse et le chevalier en déroute. Ou un conte moderne et sentimental ! Une comédie. À moins que ce ne soit qu'un leurre, et qu'il faille chercher du côté des coulisses…

— Laisse-moi. Tu empestes l'alcool à cent mètres. Dans dix minutes, tu feras honte à tout le monde.

— Oh pour ça, c'est une question de consistance. Je veux dire de tolérance et de physiologie. Lequel de nos deux estomacs éprouvés est le mieux à même de supporter l'alcool ? Qui de nous deux se donnera en spectacle le premier ? Je suis prêt à prendre les paris. Il paraît que l'on devient fort ridicule quand on tombe amoureux…

— Hors de ma vue ! »

201

D'un geste vif, il bouscule Pelletier, le laissant à son vin de Champagne et à ses suppositions, Pelletier qui chancelle un moment avant de se rattraper aux bras de deux Anglaises affolées. François-René en profite pour s'engouffrer dans le corridor mal éclairé du premier étage.

Des chandeliers en étain sont dressés sur des tables cabaret aux pieds oblongs et donnent à sa progression une atmosphère cireuse, à la fois chaleureuse et fantomatique. Des portes bâillent à sa droite et sa gauche tandis qu'il avance, suit désagréablement la transpiration d'un serveur qui porte à bout de bras une caisse de victuailles, sa chemise au niveau de l'aisselle frappée d'une auréole moins ragoûtante que la nature des mets qu'il transbahute ; il manque de percuter un tout jeune homme qui émerge en sens inverse de l'obscurité animée du corridor, promenant entre ses bras un poulet découpé, et il se dit que ce soir, s'il devait mourir d'amour, il pourrait au moins manger à sa faim. Il sonde chaque recoin, appelle faiblement : « Violet ? Violet ? »

Tout à coup, il est alerté par des murmures dans une des salles. Des voix jeunes. Il colle son oreille à la porte. Reconnaît son rire qui entrecoupe les suppliques amusées d'un garçon :

« Allez, quand est-ce qu'on y retourne ? On s'est bien amusés, non ?

— C'est ça, je te connais. Je sais pourquoi tu veux y retourner. Jouer à se faire peur donne envie de se faire pire.

— J'ai même pas eu peur ! De quoi aurais-je pu avoir peur ? Du squelette avec sa lance ? De la Mort avec sa faux ? »

Le cœur du chevalier ne fait qu'un tour. D'un geste vif, il pose sa main sur la poignée et pénètre dans la pièce minuscule encombrée de caisses de victuailles et d'ustensiles de cuisine. L'apercevant, le jeune faune qui discutait avec Violet attrape une cuisse de poulet sur un plat en argent, la fourre entre ses dents, et, se glissant agilement entre le corps stupide de François-René et la porte grande ouverte, disparaît dans le couloir. Le chevalier garde les yeux fixés sur Violet qui ajuste sa tunique de service, arrange vite fait ses beaux cheveux couleur de miel. Il avance d'un pas. Paraît choqué. À court de mots. Quant à elle, ne sachant comment réagir, elle dit :

« Au fait. J'ai appris pour votre reine. Je suis sincèrement désolée. »

Il a envie de la gifler. Se reprend. Pense à dégobiller tout ce qu'il n'a pas encore avalé de solide dans une soupière. Se ravise. Veut attraper un couteau de cuisine, ce n'est pas ce qui manque à sa vue, se l'enfoncer salement au beau milieu du cœur. N'en a pas le temps. La jeune créature s'enquiert de son état avec candeur :

« Ma parole, vous avez l'air d'un renard blessé qui a échappé à quatre chiens.

— Au moins à dix mille. »

François René, le visage blême, ajoute d'une voix trouble :

« Vous me faites atrocement souffrir.

— Pourquoi ?

— Qui était ce garçon ?

— Oh, Mark ! C'est un ami d'enfance.

— Un ami très proche alors, car votre enfance n'est pas si lointaine. »

Elle hausse les épaules.

Il dit, effrayé par sa propre stupidité :

« Si je faisais part de vos cachotteries à un certain M. Stewart, peut-être que ni lui ni votre père n'en seraient très heureux. »

Violet s'indigne, change d'humeur :

« Et si je répétais à ces mêmes personnes ainsi qu'à toute la société de la comtesse de Flahaut qu'un certain matin à Westminster vous m'avez embrassée de force…

— Ce serait un mensonge et vous le savez. Je ne fais jamais rien de force. C'est preuve de peu de force que de prendre de force ce qu'on désire. Et puis, de toute façon, ce baiser, c'est vous qui me l'avez donné.

— Qu'est-ce que vous en savez réellement ? Vous somnoliez !

— Toute vérité est somnambulique. Allez, Violet, je sais qu'il se passe quelque chose de rare entre nous. Mon cœur ne peut souffrir dans le vide depuis tout ce temps. Je sens un appel, une connivence, je voudrais vivre avec vous le plus grand amour que la terre ait jamais porté. Ce sera mieux qu'un voyage en ballon au-dessus des têtes des géants Gog et Magog. »

Elle sourit à ce qu'il vient de dire. Lui ne sait même pas où il est allé chercher ça. Comment elle a pu remonter à son esprit, affleurer à ses lèvres, cette histoire de géants. Violet se dresse sur la pointe des pieds et passe une main sur la joue du chevalier ; cette joue hâve gonflée de larmes, de fatigue et de privations, de faim et d'amour.

Il dit avec intensité :

« Je voudrais m'enfuir avec vous.

— Vous, les Français, dit-elle doucement, vous passez votre temps à fuir. »

Le butler surgit, furieux, dans la pièce. Il la cherche partout depuis un quart d'heure. Les invités sont nombreux, Violet doit immédiatement rejoindre le service. Tout est chorégraphié, l'apparition de chaque plat. Pas de place à l'erreur, au laisser-aller, à la perte de temps, si minime soit-elle. C'est comme un ballet viennois, un opéra italien, servir chez ces gens-là. Du moins, c'est comme ça que Stewart le conçoit. C'est pour cette vision du métier que son nom circule dans le Tout-Londres dès qu'il s'agit de trouver une personne compétente pour s'occuper d'un banquet. La prochaine étape, c'est les cuisines du roi George, il le sait.

« Violet ! hurle-t-il. Qu'est-ce que tu fabriques, bon sang ! »

Son visage est cramoisi. Il lui hurle dessus comme si elle était une souillon et s'apprête à lui flanquer une correction qui la remettra en une seconde, telle une girouette engourdie, dans la bonne direction. François-René s'interpose. Il dit, s'emmêlant les pinceaux :

« De quel ton lui parlez-vous sur ce droit ? ! »

Le butler lui jette un regard boursouflé de mépris. Violet en profite pour s'esquiver, gagne le corridor, s'évapore parmi la dizaine de servantes qui s'affairent au service. Stewart se rapproche du visage du chevalier, il lève l'index dans sa direction :

« Vous ! Pauvre imbécile ! Mais vous vous attendiez à quoi ?

— Je l'aime », dit François-René, au nom de cette belle bêtise de l'amoureux transi qui cherche du soutien dans chaque personne que le sort place sur sa route, quand bien même il s'agirait d'un rival.

Stewart le contemple de toute sa hauteur. Le mépris a fait place au triomphe. Lui, le simple butler, bien mieux placé qu'un gentilhomme en exil. Peu importent l'habit, les titres, le rang et les relations. Ce Français n'est qu'un migrant de plus. Un indésirable. Un déchet humain. Il se propose de lui faire la leçon, sans ménagement :

« Vous l'aimez ? Depuis quand ? Un exemple de ce que vous appelez le coup de foudre, monsieur ? Eh bien, déguerpissez avant de recevoir de ma main le coup de grâce ! Vous autres, Français, il vous suffit de voir apparaître un être pur et délicat comme Violet pour vous imaginer la posséder par caprice. Je vous ai vu la forcer chez le libraire, la retenir par la main pendant que je grimpais les escaliers pour retrouver la comtesse. Où vous croyez-vous, monsieur ? Estimez-vous peut-être, à la manière dont on aborde le plaisir dans votre pays dégénérescent, qu'il suffit qu'une gracieuse personne émoustille vos sens pour que vous soyez autorisé à attenter à son honneur ? Le duel a dû être inventé pour que des vicieux de votre espèce aient le sentiment de se sentir valeureux. Ce serait vous faire trop d'honneur que de vous provoquer en duel. Vous aimez mal, monsieur, avec vice et détachement. Si jeune et déjà d'un autre siècle. Espèce de libertin déconfit ! C'est une pitié que votre révolution vous ait pour le moment épargné. »

Il s'écarte du chevalier, qui reste coi.

Lui, François-René de Chateaubriand, se faire traiter de libertin ? Avec ce qu'il a dans le cœur ?

Stewart a déjà quitté la pièce, parti donner des ordres multiples à une escouade de serviteurs besogneux.

Le chevalier végète, abasourdi, dans le débarras où vont et viennent, en coup de vent, soubrettes et laquais. Son regard se pose successivement sur une cagette en bois remplie de masques de carnaval et sur un plateau garni de flûtes de vin de Champagne. Il tend le bras, attrape un loup emplumé, l'ajuste sur sa tête, puis vide une à une toutes les coupes que le plateau supporte.

Ivre mort, loup sur le visage, il reprend le corridor en sens inverse. Manque de bousculer d'autres serviteurs les bras chargés de nouveaux mets exquis, des cochons laqués, des tranches de rôti, des montagnes de riz au lait, colle son oreille à toutes les portes, davantage pour se maintenir, éviter de chuter, que pour écouter ce qui se trame derrière. Pourtant, à l'une d'entre elles, il perçoit un remue-ménage suivi de petites plaintes étouffées. Il pense à Violet. Ouvre vigoureusement la porte. Tombe nez à nez avec un gentilhomme occupé à empoigner une toute jeune servante. Elle tente de résister, elle dit : « Lâchez-moi, vous me faites mal ! » Sans réfléchir, le chevalier se jette sur l'homme. Le percute, le pousse. L'envoie valdinguer parmi des casseroles en cuivre. Abasourdi, l'homme se relève. Il hurle au visage du chevalier. « Mais qu'est-ce qui vous prend ? Espèce d'ivrogne ! Savez-vous seulement qui je suis ? Je suis le comte de Lhortie ! Si vous n'avez jamais entendu parler de moi, vous allez en entendre parler ! » À l'évocation de son nom, François-René revient à la charge, d'un geste comique, il imite les marins de Philadelphie dont il a vu les poings rouler au-devant de leurs torses lors de mémorables bagarres. Il en décoche un qui envoie directement Lhortie au sol, manque de perdre l'équilibre, se retient au chambranle de la porte et réussit à reprendre sa progression hésitante dans le couloir.

Enfin, il apparaît dans la salle de bal où Mme de Füzesséry joue gracieusement de la harpe. Il tangue entre les chaises occupées, importunant le public qui écoute d'un air recueilli le morceau de musique. D'autres souvenirs maritimes, encore. Il se rappelle maintenant la tempête effroyable affrontée par l'équipage du navire de cent soixante tonneaux au départ de St Malo en direction de l'Amérique. Il toise la harpe imposante comme une voile d'étai de grand hunier et crie à l'intention de la musicienne : « Hey matelot, hisse les couleurs de la France ! » Puis il déclame en grec ancien quelques beaux vers en hommage à Hermès, l'inventeur de la lyre, et s'approche de la comtesse installée auprès de sa vieille tante.

« Peu d'Anglais revendiquent
L'élégance de Van Dyck. »
Silence.
« C'est un alexandrin. Je viens de faire un alexandrin ».
Un discret petit « ah » d'admiration se fait entendre. Quelque part. Tous les spectateurs ont les yeux rivés sur lui, sidérés, entre l'amusement et l'effroi, suspendus à ce qu'il va dire ou faire. Il chancelle, rote un bon coup, provoque un premier émoi général, puis proclame à l'adresse de Mme de Flahaut, en suscitant un second :
« Je crois que je vous aime. »
Long silence abasourdi.

Alors, prenant l'auditoire à témoin, la comtesse réplique avec tout le mordant léger qui est de bon ton dans sa compagnie :

« Mais moi aussi, chevalier, je vous aime. Je vous aime puisque vous êtes aimusant. »

Fière de son jeu de mots, elle explique à l'assemblée conquise :

« Non pas uniquement amusant, mais à la fois aimable et usant. Aimusant ! Notez bien ça, Pelletier ! Aimusant. »

Pelletier, qui se tient très cavalièrement sur sa chaise, lève son verre en direction de la comtesse. Sous l'impulsion d'Henri-Pierre Danloux, peintre de Versailles qui s'est exilé à Soho et dont le récent commerce consiste à proposer aux Anglaises des portraits dans la veine de Reynolds en diminuant de moitié le prix demandé par le maître anglais, tous les convives réunis autour de la harpe se mettent à applaudir à tout rompre au bon mot : « Bravo ! Bravo madame ! » démontrant dans ces battements de mains bien plus de vivacité et d'enthousiasme que n'en reçut la pièce de musique interprétée par Mme de Füzesséry ; ce qui a pour dommage invisible de condamner la harpiste à une honte intérieure et mortelle, dont elle décide de ne rien laisser paraître, dans une attitude adorablement Grand Siècle.

« Peut-être m'aimez-vous en retour, répond le chevalier, mais moi, je ne veux pas seulement coucher avec vous, je ne veux pas uniquement trousser votre jupe, trouver la jointure, souiller votre poitrine parfumée, vous faire voir la feuille à l'envers, pousser ma pointe, c'est un terme d'escrime, madame, pousser la pointe, vous bricoler, vous traiter comme une aiguille et vous baiser, bon, bien sûr, je désire tout ça aussi, mais surtout, ce que je veux, c'est vous aimer. »

Ce qui est remarquable avec la noblesse française, c'est que ses membres les plus éminents savent paraître offusqués sans jamais se sentir outragés. Cependant, ne pouvant plus supporter les pathétiques forfanteries de ce chevalier misérable, la vieille tante bossue se penche en avant et, brandissant sa badine en cep de vigne, lui assène avec une force insoupçonnée un large coup sur le haut du front, baiser claquant dont l'impétuosité envoie M. de Chateaubriand directement chanceler parmi la délégation de tortues des Galápagos qui ornent le tapis ouvragé.

## 9

L'autre versant de la soirée se déroule dans une nébuleuse, comme à l'intérieur d'une bulle de champagne, prison moite et élastique, dont on ne sort qu'éclaté de toutes parts. Le chevalier aurait aussi bien pu émerger dans l'abbaye de Westminster – oh les passages secrets dans nos rêves, courons ensemble, veux-tu, Lucile, sous la chemise nue de la nuit, dans les tours du château de Combourg – parmi les sarcophages, les urnes, les coffres et les effigies. Le clapet des tombeaux et celui des conversations, quelle différence ? Tout se figera bientôt, pour l'éternité. Il comprend maintenant qu'autour de lui on s'agite ; des serviteurs déplacent quelques chaises – la harpe décourage les porteurs –, un flûtiste emperruqué fait son apparition, quelqu'un propose de danser une contredanse allemande à deux temps, les vins de Bourgogne et de Champagne sont réapprovisionnés. Parmi les premiers danseurs, il croit reconnaître sous les masques d'animaux – biche, cerf, dragon – la rousse et vaporeuse duchesse de Northumberland, dont le secret pour obtenir les faveurs de la reine était de n'en jamais demander aucune, Anna Sophia de Harlay, fille de l'ambassadeur de France auprès du roi James I$^{er}$, dont le cœur est enfermé dans une urne en métal, et la princesse Katherine, gamine sourde et muette d'à peine trois ans qui gambade dans leurs pattes. Toutes échappées, mes jolies, des sépultures de Westminster sans permission de minuit.

Enfin – puisque c'est elle seule qu'il désire –, il repère la silhouette de Violet et s'y attache. La petite incendiaire aux cheveux paille et miel a réussi à se faufiler dans la mascarade. Il a pour elle un sourire de triomphe complice. Un sourire qui vole au-dessus des lacérations de son cœur, des crânes dégarnis des géants des légendes. Il attrape une nouvelle coupe de champagne et la boit. Celle qui contient la bulle dans laquelle il se trouve. Il se voit ramper jusqu'à Violet. C'est très difficile, mais il rampe. Toute la haute société des Anglais et des émigrés français évolue autour de lui dans de subtiles collisions de soie, de taffetas, de plumes ornementales et de jupons maculés de vin. Violet danse. Son corps ondule en mouvements réguliers et légers. Elle virevolte sur une jambe, tourne sur elle-même, ses mains se nouent à d'autres mains dans le dos d'un partenaire qui déjà cède sa place. Ce paltoquet de Stewart serait furieux d'assister à la scène. Cela le fait rire, mais rire ! D'un rire de dément. Le même rire qui secouait l'ami Hingant le dernier soir où il l'avait invité à souper en compagnie du Christ. Aidé par son rire comme une cascade d'eau vive inversée, un geyser prodigieux, il voudrait se relever tout à fait, atteindre Violet – oh, qu'est-ce qu'il donnerait de boulevards et de nuit pour la rejoindre –

et poser ses mains sur son visage pour le caresser. L'embrasser. Ce rêve n'est plus à sa portée ce soir. Et la chemise blanche ? Dans quel état doit être sa chemise blanche... C'est sûr, on le retrouvera dans le carré des indigents, les cheveux et la bouche battus de terre humide. Pour le moment, une force invisible le cloue au sol. Comme quand sa tête était enserrée dans l'étau des genoux du « gentil dentiste » de Shelton Street, et qu'il n'était pas question de se redresser avant l'extraction complète de sa dent. L'arrachage de son cœur ? Elle danse. Il rampe. Du bout des doigts, il frôle ses chevilles. Les effleure. Tente de les agripper mais elle échappe à ces racines impossibles pour danser encore. Il frissonne. « Je crois que je vous aime », martèle-t-il aussi lourdement que le marteau frappe l'airain pour produire le son rauque et percutant des cloches de Westminster.

Pelletier, qui tente de s'éclipser en dérobant une précieuse caissette de montrachet grand cru, lui écrase au passage le dos de la main, et, au moment où Violet s'isole tout à fait dans la danse, la soirée s'embrouille pour de bon.

## 10.

François-René se réveille vers cinq heures du matin.
Malgré ses yeux embués, il voit les convives s'éclipser
mollement. Il se redresse avec difficulté, se mêle aux
démarches titubantes qui empruntent le grand escalier.
En bas, devant l'accès principal, les serviteurs et les
petites mains sont réunis, alignés sur deux rangées,
comme le veut la tradition, pour que les invités de la
comtesse puissent vider leurs poches dans leurs mains
jointes en gagnant la sortie ; c'est toujours au petit
bonheur la chance ; le plus souvent, les domestiques
reçoivent pour leurs bons services des pièces de monnaie, mais cela peut aussi prendre la forme de reliquats
de nourriture, voire bien mieux, si l'alcool a fait son
œuvre, perles, colliers, broches, bijoux d'une valeur
inestimable, que les propriétaires regrettent ensuite,
une fois dessoûlés, d'avoir cédé.

Violet a pris place dans une des deux files, entre un
grand serviteur originaire du comptoir des Indes et une
fille de Somerstown qu'elle connaît pour l'avoir vue
une ou deux fois suivre les cours de danse.

Au son d'une étrange prémonition, elle tourne son regard vers le grand escalier de marbre au moment où le chevalier le descend prudemment. Il ne la remarque pas. Il voit seulement les deux rangées de domestiques et le message « Danger ! Pas dans cette direction ! » qui clignote dans son esprit embué. Il se dirige aussitôt vers la première fenêtre à l'écart. L'ouvre dans l'indifférence générale. Le vent frais le percute comme un coup de poing. Il enjambe la base du dormant. Prêt à se ramasser de l'autre côté, ce qui est préférable à une énième humiliation : franchir le cordon des serviteurs sans rien pouvoir leur donner. Violet le suit du regard. Attendrie et inquiète. Elle se tord le cou pour voir passer Sa Majesté la douleur. Sans réfléchir, elle ne conserve que quelques pièces qu'elle glisse dans son corset et abandonne le reste des oboles à sa petite camarade des cours de danse. Puis elle quitte le cordon des serviteurs et s'échappe encore, cette fois à la poursuite du chevalier dans la nuit noire et glacée.

*Dans la Tamise*
*Grise*
*Flotte*
*François-René.*
*Non,*
*Ce n'est qu'un cadavre*
*Dont le cœur*
*Déraisonnable*
*N'est plus en train de sombrer.*

Au-dehors, la mélasse jaune et noir dans laquelle tournoient flocons de neige et particules de suie. Le vent est si glacial que pas un seul vagabond ni un fétu de paille n'y dériverait sciemment. Par chance, Violet peut compter sur le bon manteau et la couverture qu'on leur a donnés en arrivant, quand il a fallu décharger les barriques de vin et les monceaux de poulets en une vingtaine d'allers-retours des carrioles aux coulisses du palais. La silhouette de François-René caracole en direction de Baker Street, se laisse porter comme un flocon vers la Tamise, Violet le comprend, bien qu'on n'y distingue pas grand-chose, à peine l'étendue d'un bras.

Dans cette nuit poudreuse et hostile, les regards se convoitent comme des mains qui se cherchent sous une table. Pourtant, malgré la peur et le froid, sa stature de jeune fille fait usage d'armure, elle avance sans crainte, à l'heure du grand brouillard, on ne se risque plus à s'offrir en victime ou se tenir en prédateur, puisque toute silhouette croisée promet un danger en puissance, les pervers et les criminels qui agissent par opportunisme dans les campagnes et les villes se voient désarmés d'avance, celle qu'ils prennent pour une fille perdue, un inoffensif Chaperon rouge, peut à tout moment, au dernier rideau de brume et dans une effroyable certitude, se révéler être une lionne redoutable échappée d'un cirque ambulant, un colosse évadé d'un asile.

Elle le suit à la trace. Augmente la cadence de ses pas pour ne pas le perdre. Elle devient l'ange gardien de cet amour qu'il a pour elle.

Dans toute l'obscurité de l'exil, il s'est accroché à cette fille comme on lance une corde autour du soleil.

Il pourrait mourir à tout moment. Le cœur pourrait lâcher. Avec ce qu'il a ingurgité de vin. Dans ce froid saisissant, s'arrêter, c'est mourir. Violet croit apercevoir la luge en bois de la Faucheuse, celle qui rôde dans les comptines d'enfant et qui les empêche de s'aventurer dehors à des heures interdites. Vient-elle offrir un dernier tour de luge à M. de Chateaubriand ? La Faucheuse le trouvera spirituel et séduisant. Le conduira de bonne grâce vers les tombeaux de Westminster. Quasiment tout droit dans la descente, depuis Baker Street. Les tombeaux qui enseignent que les conquêtes et les tourments ne sont qu'os et cendres aux yeux du temps qui passe. Que les passions et les amours s'éteignent un jour, et qu'on reste étourdi, éternel et bien seul, dès qu'on est dépecé de l'étrange beauté d'être sollicité par le rêve d'un autre.

Violet ne le lâche plus du regard. La Tamise est proche. Les piles des ponts plongées dans une eau calme et sombre à la surface de laquelle paraît se mettre en jambes un conglomérat de fantômes. Elle anticipe son intention. Surprend un sourire sur son visage. C'est qu'il songe calmement à son ami Hingant. C'est l'heure des premiers réveils jetés dans le cornet à dés de l'aube. L'heure où Hingant doit avoir des chants d'oiseau dans la tête.

Ils sont tous les deux sur le quai. M. de Chateaubriand flirte avec la falaise du rebord, prêt à plonger dans l'eau noire. Elle se précipite sur lui. Le tire par le bras.

D'abord, il est surpris. Puis soulagé. Il n'avait sans doute pas plus l'intention de mourir que l'espoir fou qu'elle l'ait suivi.

Elle dit :

« Attendez ! Pourquoi vous jeter dans le fleuve ? »

Il répond :

« Mais parce que je pense à vous tous les jours. Tous les jours à chaque seconde. Ça ne peut plus durer.

— Mais si !

— Si quoi ?

— Si. Ça peut durer. »

Elle le tient fermement. Se suspend à son bras. Tire de toutes ses forces. C'est elle, la petite, qui est la plus forte. Du moins, elle semble tenir à lui plus fort qu'il ne tient à tout le reste. Elle lui passe la couverture sur les épaules.

« C'est vous, maintenant, qui allez mourir de froid, dit-il.

— Ne vous en faites pas.

— Elle est assez grande pour deux. Je la prends si on partage.

— D'accord. »

Ils s'emmitouflent ensemble à l'intérieur. Comme deux êtres qu'on vient de sauver d'un naufrage. Le naufrage d'une fête. Un monde à la dérive. Ils remontent vers la ville sans dire un mot, empruntent l'escalier qui conduit aux abords du palais et de l'abbaye. La rampe est gelée, les marches glissantes. Ils ne se souviennent même plus comment ils ont fait pour descendre jusqu'au quai parce qu'ils mettent un temps monstre et quelques rires à gravir cet escalier.

« Que s'est-il vraiment passé, ce matin-là, après ma nuit dans l'abbaye ? »

Elle raconte :

« Mon père était malade. Il m'a donné les clés et la mission d'aller faire sonner les cloches de Westminster à sa place. Toute seule, c'est difficile de tirer sur les cordes, alors j'ai proposé à Mark de m'accompagner. On a fait une partie de cache-cache. Je ne sais pas où était passé Mark. Il était bien caché. Il y a tant de recoins, de possibilités, avec les niches et les tombeaux. Il était peut-être déjà sorti depuis longtemps, il est comme ça. Il ne se soucie pas vraiment des autres. En le cherchant, je vous ai trouvé. Vous étiez là, comme un adorable fantôme. Je me suis penchée sur vous. Mais vous frissonnez ?

— Oui. On pourrait peut-être aller boire quelque chose de chaud. Un chocolat, par exemple. Du côté de Porridge Island ou de St James's Park.

— St James's Park, c'est tout près.

— Parfait.

— C'est moi qui vous invite ! »

Violet, triomphante, passe deux doigts dans l'ouverture de son corset et exhibe les pièces de monnaie qu'elle a conservées des offrandes consenties par les invités au moment du départ.

« Oh ! écoutez, ce sont les cloches ! Les cloches de Westminster qui sonnent le point du jour ! »

Le chevalier se laisse guider vers le parc, où ils commandent deux chocolats. Puis deux autres. C'est une vie belle et simple. Bien sûr, elle ne peut pas se contenter d'être simple et belle. Il n'y a pas de permanence à la félicité. On ne peut pas passer sa vie à boire un chocolat chaud à côté de la personne qui nous plaît le plus au monde. Ce n'est dans aucun Évangile. Et ça ne fonctionne pas comme ça. Néanmoins, leur gaieté et leur accord sur un engouement qu'ils partagent, d'un sujet à l'autre, les projettent dans un monde où ils ne sont heureux que réunis. Dans leur dos, le grondement des attelages passe sans que la ville ait de réelle consistance. Il lui dit que ses yeux ont la couleur de certains sommets des Montagnes bleues, sur la ligne des Appalaches, quand on les observe de la vallée. Il lui parle des fleuves d'Amérique, qui possèdent autant de ramifications que les branches nues des arbres en hiver quand on lève la tête en traversant les jardins de Cavendish Square.

En remontant les rues étroites de Soho, une puissante averse de grêle les surprend, tombe sur leurs épaules. Pour y échapper, ils courent en se tenant la main, insouciants, libres pour quelques heures. Comme elle est trempée, et qu'elle lui dit qu'elle ne peut pas rentrer chez elle dans cet état, il propose de la conduire chez lui pour se sécher, à deux pas, dans son grenier de Mary-le-Bone.

Elle accepte et reste à ses côtés bien après que la dernière flamme de la torche suspendue à la dernière maison du quartier a rejoint l'enclos de la nuit.

# Remerciements

Je crois que beaucoup d'entre nous ne supportons ni tout à fait la vérité ni tout à fait le mystère, voilà pourquoi nous aimons tant la fiction, la nôtre et celle des autres, celle que nous créons pour nous-même et celle que nous créons pour les autres, ou que nous acceptons des autres, la fiction consentante qui nous donne l'illusion de vivre dans un monde où la magie opère.

Dès que j'écris, je milite pour un monde où la magie opère.

J'essaie de trouver dans l'écriture une vérité capable de déplacer le réel sur un terrain plus direct, plus enchanteur. Et dans ce monde souvent atterrant, de faire des livres des territoires de jolies choses.

Je voudrais dire merci et dédier ce livre aux personnes qui m'aident à vivre dans un monde embelli par les rencontres et l'écriture.

Remercier mes éditeurs : Charlotte de Prémare à qui j'ai parlé de cette histoire en premier, qui n'a cessé de m'éclairer par ses lectures et son regard, et à qui ce livre doit tant ; et Antoine Caro pour sa confiance, ses lectures et sa vision toujours si juste de mes intentions.

Cécile Boyer-Runge pour sa confiance et sa bienveillance.

Sandrine Perrier-Replein pour son travail, sa présence et sa ténacité, la vaillance avec laquelle elle franchit les horizons pour mes livres.

Les équipes de Robert Laffont.

Perrine Brehon, Charlotte Lefèvre, et les équipes de Pocket.

Sarah Briand qui, quand je lui ai raconté l'une des directions de ce roman, a bondi de plaisir en s'exclamant : « Oh, c'est pas vrai ! Et il va la retrouver ?! C'est extra ! » Cette joie spontanée m'a donné beaucoup de courage pour la suite.

Stéphane Million, pour son indéfectible soutien.

Je remercie évidemment celles et ceux croisés pendant l'écriture de ce livre, qui m'inspirent ardemment, font plus ou moins partie de sa vérité, de son mystère, et en composent je l'espère sa belle fiction.

Et comme je crois qu'il s'agit également d'un roman sur mon amour des livres, parfois serti de petites intentions, par exemple quand Violet dit à cet indécrottable amoureux éperdu de Chateaubriand : « Vous êtes français je suppose ? », clin d'œil au poème de Nabokov que l'on trouve dans *Lolita*, je le dédie aussi à toutes les personnes qui au fil des jours et des projets me donnent la possibilité de travailler, de m'épanouir, dans cet univers des romans que j'aime tant et où si souvent, comme ici, j'ai logé tout mon cœur.

# Une nuit avec Keira

Nouvelle inédite ajoutée à la présente édition

C'était la toute fin de l'été et je rentrais d'un séjour dans la capitale britannique, non à des fins touristiques, mais uniquement pour m'acheter un parapluie chez Charles Tyrwhitt sur Jermyn Street. Ces parapluies anglais, imprimés sur la toile intérieure de l'Union Jack ou de fines rayures bleues, sont du dernier chic et, quitte à se faire surprendre par la pluie, autant rester le plus élégant possible.

J'arpentais donc le hall de la gare de Saint-Pancras dans l'attente de passer les contrôles, inspectant avec plaisir les rayons de la boutique Fortnum & Mason et effectuant quelques emplettes chez Marks & Spencer (sandwich cheddar & céleri, dragées de cacahuètes enrobées de chocolat au lait, bouteille d'eau pétillante). Je voyageais seul et me demandais bien à qui le sort allait choisir de m'associer. J'espérais que la personne qui occuperait le siège voisin serait aimable et du genre féminin, de préférence, critères essentiels pour réduire le temps ressenti des deux heures et quart de voyage. Les météorologistes nous enquiquinent toujours avec la température réelle et ressentie, mais la grande affaire de l'existence, c'est le temps ressenti. Les heures nous paraissent dérisoires dès lors qu'elles s'égrènent en compagnie d'un livre qui nous captive, d'une conversation qui nous enchante, d'un être qui nous bouleverse.

Depuis que je m'étais séparé de ma voiture (séparation douloureuse, sur le bord de la route, après un énième souci mécanique), je tenais sur un carnet Moleskine, à la manière du journal de rêves de Vladimir Nabokov, le relevé exact des personnes auprès desquelles j'avais voyagé ces deux dernières années. Feuilletant les pages du carnet, je pouvais me remémorer de façon précise : l'étudiant qui visionne un épisode de *Game Of Thrones* en se curant le nez, la femme qui renifle toutes les trente secondes comme si elle évoluait dans un monde où le kleenex est en rupture de stock, l'homme qui déballe un menu de Fast Food répandant le genre d'odeur impitoyable qui vous envoie l'estomac au pressing.

À mon grand regret, mon compte-rendu ne comportait aucune de ces apparitions fabuleuses qui vous sauvent des vicissitudes des compagnies ferroviaires et des retards de l'existence (dans cet ordre).

Dans l'attente qu'on nous autorisât l'accès au train, je dilapidai ma petite monnaie dans les caisses automatiques de l'indigente enclave WHSmith en achetant un magazine people. Quand le signal sonore retentit, nous nous dirigeâmes, mon parapluie et moi, vers l'escalier roulant qui chemine mollement vers le quai.

J'entrai dans le compartiment. Repérai le siège dont le numéro m'était assigné. Je m'assis côté fenêtre, respectant l'indication fournie par mon billet numérique. Il ne restait que dix minutes avant la fermeture des portes et toujours aucun signe d'une voisine espérée. Je dépliai le magazine acheté en gare et commençai à en tourner les pages, laissant provisoirement au rebut le livre de Marguerite Duras que j'emporte toujours avec moi au cas où.

Marguerite Duras, c'est comme la cigarette en soirée dans les années quatre-vingt dix : idéal pour se donner une contenance. Dans la pléthore de titres qui constituent l'œuvre de l'écrivain, j'avais sciemment choisi *Écrire*. Je pars du principe que, dans ces conditions de proximité, les filles intéressantes s'intéressent toujours à ce que vous lisez. J'ai frôlé le torticolis à plusieurs reprises entre Nation et La Défense, en pleine heure de pointe, pour deviner ce que cette magnifique brune à la robe rouge tenait entre ses mains – donc *Écrire*, un très bon titre puisque dans le cas où ma voisine s'intéresse à ce que je lis, elle pourrait positivement être étonnée par mon choix. *L'Amant*, ça fait le type qui lit un Goncourt trente-cinq ans après la bataille, bref pas tout jeune dans sa tête, de plus *L'Amant de la Chine du Nord* est bien meilleur. *Les Yeux bleus, cheveux noirs*, ça fait le type qui ne pense qu'au physique, *Le Vice-Consul*, l'opportuniste qui court après une promotion, et *Le Ravissement de Lol V. Stein*, ça fait trop dépressif qui vient de se faire larguer. Pas tellement sexy.

*Écrire*, c'est parfait. Ainsi, interrogé sur mon choix, je pourrais habilement glisser que je lisais *Écrire* car je suis moi-même écrivain, en mettant un nombre raisonnable de points de suspension derrière cette phrase… Écrivain reste un statut qui en impose. Si les gens avaient la curiosité de gratter de leur ongle comme sur un ticket de loterie nationale ce statut qui en impose, ils comprendraient qu'en réalité le ticket est rarement gagnant et qu'être écrivain c'est généralement la loose (excepté les jours de pluie où on a avec soi un parapluie Charles Tyrwhitt). En réalité, ce qui en impose le plus dans le milieu littéraire, c'est écrivain « qui a fui la dictature d'un pays étranger ». Mais écrivain « qui a fui la dictature d'un pays étranger », quand on est, dans mon cas, né à Neuilly-sur-Seine, c'est un peu compliqué…

Je m'apprêtais à ranger dans mon sac le roman de Marguerite – un sandwich, une bouteille d'eau, un paquet de cacahuètes enrobées de chocolat et un magazine people sont déjà suffisants pour encombrer la tablette – quand je sentis le souffle d'une présence charmante glisser son blouson en apesanteur sur les porte-bagages et s'installer à mes côtés.

À ce que je pouvais en deviner, de biais et sans trop m'attarder, il s'agissait d'une jeune femme tout à fait à mon goût. Je tournais la tête et rougis atrocement – l'effet que produit sur moi le bonheur instantané – en balbutiant un fragile : « *Would you prefer to sit by the window ?* » Généralement, avec la langue anglaise, si j'identifie assez facilement les mots qui conviennent, pour la syntaxe c'est un peu au petit bonheur la chance. La délicate créature me répondit en français : « Non merci, ça va très bien. » Elle s'exprimait sans peine, au gré d'un accent exquis, portait un t-shirt qui laissait entrevoir des bras nus, fins et magnifiques. J'eus l'envie d'être transformé en coccinelle sur le champ. En effet, j'ai remarqué que les filles aimaient laisser courir les coccinelles sur leurs bras nus, qu'elles retardaient le plus longtemps possible la séparation de leur peau avec la bête à bon Dieu, les regardant s'envoler à regret, tandis que les araignées, elles les envoyaient valdinguer d'une pichenette ou se trémoussaient avec plus d'amplitude que sur n'importe quel *dance floor* pour les jeter à terre avant de les occire à l'aide de leurs si précieuses chaussures.

À l'un de ses poignets, ma voisine d'Eurostar arborait un bracelet d'argent orné d'un œil-de-chat.

Je rapatriai le livre de Marguerite Duras sur la tablette de manière à le positionner pour qu'il soit le plus visible possible, un peu déçu de n'avoir pas finalement opté pour *L'Amante anglaise*. Décidé à me débarrasser du tabloïd pour me consacrer uniquement à la littérature, je remarquai, avant de faire disparaître le magazine, une photo sur laquelle une jeune beauté portait exactement le même t-shirt que ma voisine. Le même t-shirt, le même carré ondulé, les mêmes avant-bras d'une finesse merveilleuse, et le même bracelet d'argent. La photo était légendée : « KEIRA KNIGHTLEY'S UNLUCKY IN LOVE ! ALONE AGAIN NATURALLY ! »

Le journaliste, à n'en pas douter, faisait référence à cette chanson entraînante et mélancolique de Gilbert O'Sullivan. J'adorais ce morceau bien qu'il débutât par un couplet très bizarre dans lequel Gilbert chantait que s'il continuait à être malheureux, il grimperait au sommet d'une tour non loin de chez lui pour s'y jeter.

À ce moment, une pensée me traversa l'esprit. S'il s'agissait bien de Keira K., l'actrice de *Love actually*, *Joue-là comme Beckham* et *Orgueil et préjugés*, et si elle était bel et bien déprimée au point de vouloir sauter de l'Eurostar en marche, mon rôle n'était-il pas de tout tenter pour lui sauver la vie ?

Saisi par l'émotion, j'aurais aimé que mon ensorcelante voisine me pince afin de m'assurer que, pour une fois, la réalité s'était bien assise à mes côtés et dans le sens de la marche. Mon cœur palpitait comme les ailes d'un papillon si bien que je fus amené à penser de nouveau à Vladimir Nabokov (grand lépidoptériste). Je n'aurais pas aimé que tout ceci – mon humble existence comprise – ne fût qu'un rêve rapidement consigné dans le cahier que Nabokov gardait à son chevet. Quelle amertume vis-à-vis de tous ces degrés de l'existence patiemment franchis ! Je veux dire : à quoi bon se contorsionner dans le métro pour deviner ce que lisent les filles si tout ceci n'est qu'un rêve sur la table de nuit de Nabokov ?

Je jetai un dernier regard à la photographie du tabloïd et je tentais de la comparer discrètement avec le profil de ma voisine, quand elle me dit, dans un français impeccable :

— Pouvez-vous me prêter votre magazine ?

— Euh… oui.

Confronté à une fille qui me plaît, j'ai toujours eu un sens très aigu de la répartie.

Elle avança un fin poignet dans mon espace vital pour s'emparer du journal. Je vécus alors l'un de ces moments d'une intensité rare qui ne s'était produit qu'une seule fois dans ma vie, le jour où, un certain après-midi de mars à la Ferté-Bernard, j'avais visité la médiathèque Jean d'Ormesson en compagnie de Jean d'Ormesson. Je vis Keira Knightley se pencher sur une photo de Keira Knightley.

Elle lut la brève légende qui se référait à la chanson de Gilbert O'Sullivan (que j'avais en tête depuis maintenant trois minutes) et lança pour tout commentaire un irascible et léger : « *What the fuck…* »

Je profitai du droit à la révolte que me donnait son intervention pour me tourner franchement vers elle et réaliser une fois pour toutes que j'étais bien assis à côté de Keira.

Elle me rendit le magazine avec dégoût, en proférant comme une vérité générale, sans que j'aie à le prendre personnellement : « Je ne comprends pas quel plaisir on peut prendre à lire ces stupidités ! »

J'allais objecter qu'avec la petite monnaie qui nous encombre les poches et dont on se débarrasse dans les machines automatiques du WHSmith situé au fond du hall d'embarquement de la gare Eurostar, on pouvait difficilement se payer un volume d'*À la recherche du temps perdu*.

Pourtant, tout ce que je trouvai à dire, c'est :

— Vous parlez merveilleusement bien français !

— Oh, fit-elle d'un revers de la main, c'est Guillaume qui m'a appris.

— Guillaume ?

— Guillaume Canet. Pendant tournage de *Last Night*. Vous savez, sur les tournages, on passe beaucoup de temps à attendre.

J'avais vu *Last Night* une bonne dizaine de fois. C'était un film assez lent que j'adorais. Il suffisait que Keira fasse des allées venues dans une cuisine, un verre de vin à la main, vêtue d'une robe de soirée qui laisse son dos découvert, pour que je considère ce film comme un chef d'œuvre du septième art.

— Et vous lui avez appris à parler anglais en retour ?

— À qui ?

— Guillaume.

Elle me dit avec un petit air railleur (à la manière d'Elizabeth Bennet) :

233

— Vous l'avez vu faire carrière à Hollywood ?

— Non… répondis-je un peu penaud.

— Voilà ! fit-elle en guise de conclusion.

En même temps, Guillaume Canet était cité dans la chanson *Home is a question mark*, très beau titre d'un récent album de Morrissey, l'ex chanteur des Smiths, ce qui était à mes yeux bien plus gratifiant que de faire carrière – et qui revient souvent pour un acteur français à faire de la figuration – à Hollywood.

Comme je ne voulais à aucun prix rompre le fil ténu de notre échange, je demandai poliment :

— Vous allez à Paris ?

— Non, je vais à Deauville. Pour le festival du film américain. Ils vont inaugurer un plateau de fruits de mer à mon nom.

— Euh… Ce ne serait pas plutôt une cabine de plage ?

— Une cabine de plage ? Peut-être. Vous voyez, mon français n'est pas si parfait que ça.

— C'est dingue. Il se trouve que je vais moi aussi à Deauville.

Je pensai : La vie est fabuleuse, la magie de l'existence ruisselle toujours sur nos épaules quand on s'y attend le moins. Vraiment, le hasard n'existe pas.

« Le hasard n'existe pas », c'est un truc que j'avais lu dans la correspondance entre Antonin Artaud et Raymond Queneau. Dans une lettre datée du 22 mai 1937, Artaud écrit : « NATURELLEMENT qu'il n'y a pas de hasard et j'ai été d'autant plus heureux de vous rencontrer aujourd'hui. » Le « Naturellement » est accentué par l'emploi de lettres capitales, comme sur la légende du magazine people qui indiquait que Keira était de nouveau célibataire, *NATURALLY*.

Pour partager mon émotion avec Keira, j'aurais pu lui parler de Raymond Queneau et d'Antonin Artaud, mais elle m'aurait sans doute pris pour un fanfaron qui étale sa science comme d'autres beurrent leurs scones, et je me trouvai d'un coup fort dépourvu dans cette situation étonnante. Elle me demanda, plissant les yeux pour mieux examiner mon accoutrement :

— Vous allez au festival américain de Deauville ? Vous êtes acteur, vous aussi ?

— Non, je suis écrivain.

— Ah ? brûla-t-elle d'un vif intérêt. Vous écrivez des synopsis ?

— Des romans, précisai-je en me redressant sur mon siège. Et… je réside à Deauville en ce moment… D'ailleurs, je rêve de louer une cabine de plage qui donne sur les planches, mais elles sont très prisées, il y a une liste d'attente de trois ans, et comme je ne sais jamais où je serais dans six mois…

Piquée par la sincérité avec laquelle je venais de lui exposer l'infatigable désordre fait d'incertitudes et de coups d'épées dans l'eau qui constituent à peu de choses près l'existence d'un écrivain français (qui n'a pas la carte du type qui a fui une dictature politique), elle me dit :

— Peut-être qu'ils vous donneront la cabine de plage qui portera mon nom ?

C'était de loin le meilleur voyage en train de toute mon existence. Pour le moment, Keira s'intéressait sincèrement à mon métier (j'ai envie de mettre quatorze

235

guillemets, et pourtant j'ai ouvert une parenthèse que je referme) d'écrivain.

— Vous ne faites que ça dans la vie ? Écrire des romans ? Ils doivent être lus par beaucoup de personnes alors ?

— C'est-à-dire… Il faut un début à tout, balbutiai-je sans trop m'attarder.

— Vous devez avoir des idées tout le temps ! C'est fantastique ! Je suis heureuse de savoir qu'un écrivain français peut vivre de son art dans ce monde terrible, matérialiste, où tout va trop vite, où il n'y a plus que les images qui comptent, et où on nous dit qu'il y a de moins en moins de lecteurs… Alors qu'avoir un bon livre avec soi, il n'y a rien de mieux pour trouver le sommeil !

— Hum ! En fait, confessai-je, je fais aussi des extra à côté. Pour m'en sortir. Par exemple, l'autre jour j'ai écrit et vendu une blague carambar.

— C'est quoi ?

— Un long bonbon au caramel. À l'intérieur de son emballage, il y a une blague. J'en ai écrit une, et je touche 0,0074 centimes d'euros sur chaque carambar acheté sur le papier duquel ma blague est imprimée. Au final, je gagne un peu plus en droits d'auteurs sur mes blagues Carambar que sur mes livres. Ça dépend des années, mais en 2016 et 2017, davantage de personnes ont mangé des carambars avec ma blague à l'intérieur que des lecteurs ne se sont procurés mes romans. Mais je compte bien sur une évolution pour 2021. Et puis, il faut prendre en considération le monde actuel. Parce qu'il y a vingt ans de ça, j'aurais été riche ! Mes droits d'auteurs de blague auraient été multipliés par deux. Les gens étaient moins regardants sur le sucre. Et il y avait davantage de supports pour les blagues. Les Caranouga par exemple !

— Non, ce que je voulais savoir, c'est : c'était quoi votre blague ?

— Ah… Eh bien…

Je pris mon courage à deux mains, et me lançai :

— C'était une devinette. C'est la spécialité des carambars, la devinette.

— J'adore les devinettes, s'exclama-t-elle en plongeant son regard caramel dans le mien.

— « QUEL EST LE DESSERT PRÉFÉRÉ DES ÉCRIVAINS ? »

Keira plissa son joli front et se mit à réfléchir. Cette devinette lui posait une colle. Je savourais près d'elle – nos épaules se touchant dorénavant sans aucune gêne – tout mon pouvoir de grand écrivain de blagues Carambar.

— Alors ?

— Non, vraiment, je ne vois pas. Désolée.

— Vous donnez votre langue au chat ?

— Pardon ? fit-elle dans une grimace exquise.

— Oh, c'est une expression française, un peu bizarre, je vous l'accorde. Alors je répète une dernière fois : « QUEL EST LE DESSERT PRÉFÉRÉ DES ÉCRIVAINS ? »

— ….

— C'est le… C'est le… Le mille-feuille !

— …

— Le mille-feuille ! À cause des feuilles ! Des pages à remplir ! Pour un écrivain !

À l'évidence, Keira n'avait jamais goûté de mille-feuille. Elle était plutôt Victoria sponge cake, apple crumble et carott cake. Je fomentais déjà le projet fou de nous offrir deux mille-feuilles pour les déguster ensemble sur la plage de Deauville. Alors, elle goûterait enfin à la saveur et au mordant de mon esprit, digne de celui des héroïnes de Jane Austen. Elle comprendrait pourquoi la marque Carambar me vouait un culte absolu et m'avait commandé une deuxième blague que je n'avais toujours pas écrite. On peut parfois souffrir d'une bonne réputation. Je veux dire, on attend de vous de produire quelque chose d'aussi fort que la première fois. Sur le ring de l'écriture, le combat est permanent.

Le reste du trajet sous la Manche, je lui parlai de Marguerite Duras qui affectionnait Trouville-sur-Mer et de Françoise Sagan qui préférait Deauville en raison de l'hippodrome et du casino. Marguerite et Françoise. Deux styles d'écriture et de villégiature.

Je trouvai bizarre que Keira voyage en Eurostar alors qu'il y avait un mignon aéroport situé sur les hauteurs de Trouville. Je me dis qu'elle devait avoir une frousse bleue de l'avion et préférait se déplacer en train quand cela lui était possible. En train ou en bateau. Cela expliquait sans doute pourquoi elle avait accepté de figurer dans les suites de *Pirates des Caraïbes*.

— Moi aussi j'ai choisi le voyage en train car j'ai peur de l'avion, lui avouai-je dans un élan passionné.

Parfois, la révélation de goûts ou de phobies en commun peut plonger deux êtres inédits l'un à l'autre dans une connexion immédiate, abrasive et soudaine, que des semaines, voire des années, à se tourner autour ne surclasse jamais en intensité.

— Oh, je n'ai pas peur de l'avion, me dit-elle. C'est que je suis en train de préparer un biopic de Carole Lombard. Et comme elle a disparu brutalement dans un accident d'avion, j'évite de tenter le diable.

— Ah, je comprends, fis-je, comme si Keira venait de me faire entrer par une petite porte dérobée dans le monde des acteurs.

— Surtout, je vous en prie, n'en parlez à personne !

— Pardon ?

— Du biopic de Carole Lombard. Ne vous servez pas de l'information. Sauf si vous êtes dans la dèche.

Elle m'apprit qu'elle était constamment observée par les bookmakers anglais qui, dans ce pays où l'on parie sur tout, se délectaient de spéculer sur ses prochains rôles. Ainsi, tout le monde l'attendait dans un énième *Pirates des caraïbes* ou un film en costumes, ou bien pronostiquait qu'elle allait rejoindre sous peu le club des actrices qui, à un moment de leur vie, ont tellement besoin de s'acheter une villa à Miami qu'elles décident de devenir une héroïne Marvel.

— Enfin, l'héroïne Marvel, c'est assez improbable à cause de mon physique de brindille. C'est plus pratique d'avoir un gros cul comme Scarlett pour retomber sur ses pieds après une cascade.

— Ah, fis-je pour tout commentaire, un peu choqué par sa liberté de jugement.

— Ça y est, nous sommes en France ! s'exclama-t-elle. Savez-vous comment on se rend gare Saint-Lazare ?

— Gare Saint-Lazare ? m'étonnai-je. Vous voulez dire que personne ne vient vous chercher à la descente de l'Eurostar ? Les organisateurs du festival du film américain de Deauville n'ont pas prévu une voiture ?

— Ils ont prévu une voiture mais ils ont aussi invité Joaquin.

— Joaquin ?

— Joaquin Phoenix. Je n'ai pas tellement envie de voyager avec lui. Il parle tout le temps et il a une forte tendance à s'étaler. Les acteurs masculins, ils ne savent faire que ça : s'étaler. Sur les affiches et les banquettes des limousines.

Je me lançai.

— Vous n'avez qu'à me suivre. Voyager avec moi. Je vous escorterai.

— Escort ?

— Je veux dire, je vous mènerai à bon port. Ce n'est pas très compliqué. On peut prendre un taxi. Ou alors, pour éviter les encombrements, on peut prendre le métro.

Il y eut un petit silence. Angoissé pour elle, angoissant pour moi. Elle réfléchissait à ma proposition. Puis, se tournant franchement de mon côté et plongeant une nouvelle fois ses yeux merveilleux dans mon trouble insistant, elle dit :

— C'est d'accord.

Et elle me demanda de lui prêter mon magazine.

En attendant Paris, Keira feuilleta avec avidité les pages du tabloïd anglais pendant que j'ouvrai au hasard qui n'existe pas le livre de Marguerite Duras pour tomber sur cette phrase : « C'est curieux un écrivain. C'est une contradiction et un non sens. Écrire c'est aussi ne pas parler. C'est se taire. C'est hurler sans bruit. C'est reposant un écrivain, souvent, ça écoute beaucoup. […] C'est à l'opposé du cinéma. »

Arrivés gare du Nord, je portai le bagage de Keira qui était étonnamment lourd pour une personne de constitution si légère. Elle fit une moue dégoûtée en débarquant sur le quai. On était loin de la beauté clean, paisible et sous contrôle de la gare du centre de Londres. Ça sentait la pisse et la crasse, les poubelles débordaient de détritus infâmes, et le hall était peuplé d'une quantité spectaculaire d'individus louches.

— Ce n'est pas du tout le souvenir que m'avait laissé Paris, dit-elle, frissonnant légèrement et se serrant contre moi.

— Ah ? Et quel souvenir vous a laissé Paris ?

— Celui de la pub Chanel.

Effectivement, on était loin du Paris en carton pâte qui servait d'illusion romantique à la publicité dans laquelle Keira baladait sa jolie silhouette.

Pour autant, la déliquescence de cette ville ne m'avait jamais paru si adorable qu'en ce début de soirée puisqu'elle avait pour effet de rapprocher inexorablement le corps de Keira du mien. Pour un peu, j'aurais embrassé le premier zonard venu.

Collés l'un à l'autre, nous empruntâmes l'escalator vers les abysses douteuses et mal famées du métropolitain. À peine avions-nous trouvé une place précaire à l'intérieur de la rame, que nous fûmes agressés par un homme pieds nus, qui braillait sa haine de la société, des politiques en particulier et de l'humanité en général. Il éructait des insultes entre deux appels au don. Keira était outrée. Il n'y avait même pas de tasse de thé à disposition dans les parages pour faire passer la pilule. « Ce type est dingue ! Il n'y a pas de policier pour l'arrêter ? » « Euh…non, dis-je. C'est une spécialité… parisienne. Les dingues dans le métro. C'est à cause de… notre tempérament méridional… Les gens ici aiment parler à un niveau sonore assez élevé… Et, ils aiment se donner en spectacle… Il y a beaucoup d'artistes à Paris… D'artistes de rues… et de couloirs… et de rames. Tout le monde est artiste, en fait… ».

À vrai dire, je ne savais pas comment argumenter pour atténuer le dégoût qui se lisait sur le visage de Keira. Quand l'homme injurieux passa près d'elle, elle se tourna tout à fait et, se haussant sur la pointe des pieds, vint se blottir dans mes bras. Plutôt que de profiter du moment, j'eus une pensée assez stupide et édifiante (c'est tout moi !) : je m'en voulu de ne m'être que chichement aspergé ce matin avec mon flacon de voyage de *L'instant* de Guerlain. Les heures passées à endurer divers trajets et états de stress – arriver à l'heure exacte, passer sous le détecteur de métaux – additionnées aux rougeurs impromptues et poussées de fièvre liées à la présence de Keira à mes côtés… J'espérais que mon état général ne rebuterait pas la jeune anglaise qui avait décidé de construire, du moins jusqu'à la station Réaumur, son nid contre ma peau. Je m'inquiétais pour rien. On sent toujours merveilleusement bon comparé à l'odeur planante du métro parisien.

Gare Saint-Lazare, il y eut des atermoiements. Il ne fallait jamais se montrer ni trop pressé ni très regardant avec les trains pour la Normandie. Les soucis étaient fréquents et divers : le conducteur qui ne s'était pas réveillé pour aller chercher son train au dépôt ou le fort encombrement des lignes étaient des excuses quotidiennes pour vous faire perdre votre patience ainsi que trois bons quarts d'heure à l'arrivée. Le pays partait en sucette, et malheureusement ce n'étaient pas des sucettes sur l'emballage desquelles je pouvais écrire une petite devinette, dans ce cas, j'aurais été assez gâté en droits d'auteur.

Nous montâmes à bord du train, et, cette fois, primes place l'un à côté de l'autre sans attendre que la grande loterie du hasard ne nous y invite. Dorénavant, nous étions maîtres de nos destinées. Le train démarra avec un retard de vingt minutes, ce qui pouvait être considéré comme un exploit. Je me serrais contre Keira pour trouver un peu de réconfort. Elle s'était endormie la tête sur mon épaule. Dans son sommeil, elle avait même légèrement bavé dans le creux de mon cou. Dois-je admettre que je trouvais ça romantique ?

Le train s'arrêta brutalement à une gare qui n'était pas au programme. Le contrôleur qui passait dans le compartiment donna pour explication :

— Encore des marlous qui se croient tout permis ! Ils savent qu'en tirant le système d'alarme, le train sera obligé de s'arrêter. C'est l'anarchie mais on n'y peut pas grand chose.

À demi plongée dans le doux coton de ses rêves, Keira demanda :

— Qu'est-ce qui se passe ? Quelqu'un est descendu du train ?

— On va repartir, la rassurai-je. C'était juste une caillera, Keira.

— Pourquoi tu dis deux fois mon prénom ?

— Pour rien, rendormez-vous. Tout est sous contrôle.

Et tout fut sous contrôle jusqu'à la prochaine péripétie. Dès que j'entendis le micro du chef de bord s'ouvrir sourdement puis grésiller, je sentis que les problèmes planaient de nouveau au-dessus de nos têtes comme un escadron de mouettes rieuses remontant la Seine.

— Mesdames, Messieurs, en raison d'un sac suspect abandonné en gare d'Evreux-Normandie, notre train risque d'accuser un retard de deux heures trente.

Le temps que les démineurs arrivent. Car il n'y a pas de démineur à Évreux. Ils vont donc venir de Caen.

Cela m'allait très bien, mais les autres voyageurs se mirent à manifester leur mécontentement. Keira sursauta. Je lui expliquai la situation. Le sac suspect à Évreux et la ville d'Évreux qui n'avait pas un seul démineur dans sa population. Démineur ? Ce mot cavalait dans ma tête. N'était-ce pas le titre d'un film à Oscars ? Keira avait-elle été pressentie pour un des rôles ? Aurait-elle suivi un stage de formation, partagé pendant trois mois le quotidien de démineurs professionnels aguerris, selon des méthodes d'immersion chères aux acteurs ? Il suffirait de l'envoyer ouvrir ce fameux sac et les autres voyageurs retrouveraient leur calme. NATURELLEMENT qu'il n'y avait pas de hasard. La présence de Keira dans ce train était la volonté d'un ordre supérieur, tout concourrait à ce moment, le biopic sur Carole Lombard, la limousine qui emportait Joaquin Phoenix soliloquant sur la banquette arrière, la cabine de plage du festival américain de Deauville… tout s'était parfaitement enchaîné pour arriver à l'instant décisif où Keira sauverait un train de passagers français en désamorçant une bombe en gare d'Evreux Normandie. Bien plus puissant qu'un énième film Marvel !

Pour le moment, en guise du tic-tac de l'effroyable bombe, le doux ronronnement de Keira, qui s'était rendormie, dans le creux de mon cou. Oui, même les incarnations des héroïnes de Jane Austen ont le ronflement sonore. J'attrapais mon Smartphone et essayais malgré le manque de réseau de me connecter sur IMDB pour voir si un rôle de sa filmographie qui puisse se rapprocher d'un démineur m'avait échappé.

Je trouvai un film d'espionnage/action/lutte contre le terrorisme du nom de *The Ryan initiative* et visionnai la bande annonce dans laquelle Keira s'écriait : « *You involved me in this and I can help !* »

Elle fut réveillée par le son de sa propre voix. Sensation étrange, sans doute. « *What the fuck ?* » s'exclama-t-elle. C'était la seconde fois que je l'entendais jurer de la sorte. S'en suivit notre première véritable dispute dans laquelle elle me reprocha de regarder ses films alors que je la tenais quasiment dans mes bras. C'était comme… la tromper avec sa propre image ! Selon elle, c'était ça, la véritable pornographie. Elle était très remontée contre moi. Jamais auparavant je n'aurais imaginé qu'elle pût être soupe au lait, enfin, thé au lait. Elle me lançait des regards noirs, n'arrêtait pas de proférer des insultes en anglais et de proclamer que personne n'avait osé encore la décevoir à ce point. Me revint alors un jugement que j'avais lu, émis par l'acteur Sam Worthington qui, déplorant le mauvais caractère de sa partenaire sur le film *Tell me*, avait déclaré à la presse : « Je préférerais largement avoir une arme ou une épée face à Keira que de devoir l'embrasser. »

En furie, elle commençait à attirer l'attention des autres passagers. Le chef de bord vint s'excuser pensant que ma partenaire perdait ses nerfs, en proie à une crise d'angoisse. Entre-temps, bien que l'accès à la gare ait été bouclé, le train s'était approché à quelques mètres à peine du début du quai. Après une courte explication avec le chef de bord, Keira finit par demander :

— Il est où, ce foutu sac abandonné ?

— Sur un banc, sur le quai.

Keira se leva furieusement, se dirigea vers l'une des extrémités du wagon, ouvrit rageusement la portière du train et se retrouva en moins de deux sur la voie.

— Mais, madame, se lamenta le chef de bord, et le protocole ?!

— *Fuck it !* répondit-elle en s'évanouissant dans l'obscurité.

— Vous auriez dû l'appeler mademoiselle, dis-je à l'employé de la SNCF, et pas madame. À cause de *Coco Mademoiselle*, et puis aussi parce que c'est une actrice. C'est ça qui a dû l'énerver. C'est leur protocole à elles…

Le chef de bord ôta sa casquette et passa une main sur son crâne dégoulinant de sueur. Puis il se mit en tête de suivre Keira, soit pour la protéger du danger, soit pour la verbaliser. Sous la pression des autres voyageurs qui me dévisageaient, je décidai de leur emboîter le pas.

— Ok, ok, j'y vais. Si ça se trouve, ce n'est rien qu'un sac de sport oublié par un ado !

Quand, après avoir tâtonné sur une centaine de mètres le long du quai, j'arrivai près du fameux banc. Keira faisait des photos avec les employés de la gare et l'escouade de pompiers et gendarmes dépêchés sur les lieux. Sans tergiverser, elle était sortie de nulle part, avait franchi le cordon de sécurité, s'était ruée sur le sac qu'elle avait dézippé en grand. Rien qu'un sac de sport oublié par un ado.

— Merci mademoiselle, lui dit le chef de bord, il y a eu un accident sur l'A13 impliquant un poids lourd et les démineurs en provenance de Caen ne seraient pas arrivés avant quatre heures quinze environ.

D'avoir passé son énervement sur le sac de sports avait eu pour effet d'adoucir totalement la nervosité de

Keira. Elle réintégra sa place à mes côtés. Et le train put repartir avec un retard estimé à une heure trente. Rien d'anormal. *A piece of cake.*

Après ces péripéties, ce fut à mon tour de m'assoupir. Contre la frêle épaule de Keira. Entre les gares de Bernay et de Lisieux, je fis un étrange cauchemar. Je rêvai que tous les éditeurs français se liguaient pour décider d'abaisser le pourcentage des auteurs sur les romans qui seraient écrits à la première personne. Cela me déprima complètement parce que j'étais en train d'écrire un texte à la première personne et je me dis que je ne serais jamais capable de gagner correctement ma vie, jamais je ne deviendrais un adulte, jamais je n'aurais de quoi offrir un dîner à Keira dans les salons feutrés de l'hôtel Normandy Barrière. Néanmoins, le projet romantique du mille-feuilles sur la plage en regardant le soleil se coucher restait accessible.

Quand nous arrivâmes enfin en gare de Trouville-Deauville, il se mit à pleuvoir des cordes. Heureusement, j'avais avec moi mon parapluie Charles Tyrwhitt dont je déployai la toile pour protéger la douce silhouette de Keira le temps d'accéder au hall de gare.

Ensevelie sous les flashs des photographes et capturée par l'organisation du festival, elle eut juste le temps de se jeter à mon cou pour me dire à l'oreille : « Nous nous retrouverons bientôt. »

J'emportai avec moi cette promesse et m'endormis avec elle (la promesse) comme sur le plus moelleux des oreillers.

Le lendemain, je me sentis dans la peau d'un mille-feuille pris dans une tempête de sable.

Fragmenté. Éparpillé. En miettes.

Je conçus le projet de me mêler aux badauds lors de l'inauguration de la cabine de plage de Keira, mais renonçai face à la densité de la population qui s'y pressait et qui déjà jouait des coudes pour se placer aux premières loges. Je l'avais eue contre moi toute une soirée, et jusque tard dans la nuit. Quelle dégringolade c'eut été de la revoir, une fraction de seconde, au milieu de tout le monde.

Le deuxième soir du festival, je frissonnai en tombant à la télévision sur une interview de Keira en direct de l'hôtel Normandy. À la question : « Avez-vous fait bon voyage ? », elle répondit : « Oui merveilleusement bien. Cela m'a semblé passer en un rien de temps. »

Elle regardait ensuite face caméra et je crus déceler un scintillement dans ses yeux qui m'était adressé.

Pensait-elle, tout comme moi, que les voyages en compagnie d'une personne qui vous plaît réussissent à brouiller les distances et à vous faire habiter le temps qui passe d'une manière tout à fait différente ? Magique, en quelque sorte.

« Nous nous retrouverons bientôt », m'avait-elle promis. Le festival du cinéma américain de Deauville touchait à sa fin. Je n'avais même pas profité du voyage en train pour faire un selfie avec elle. De nos jours, toute sensation est tellement définie par l'image, que ce qui n'est pas capturé par un Smartphone n'est pas certifié d'avoir été vécu.

Avais-je rêvé ?

Comment se revoir ?

C'est nul d'être écrivain, je veux dire, si j'avais été libraire, par exemple, il lui aurait été simple de me retrouver, en franchissant le seuil de ma librairie, comme dans *Coup de foudre à Notting Hill*. Dieu, que j'envie les libraires ! Le plus beau métier du monde !

Oui, quand on a un tel métier, on sait où vous trouver. C'est un avantage considérable dans l'existence. Mais quand on est écrivain ?

Bon, j'imagine que quand vous êtes écrivain, on vous trouve dans vos livres… Ce n'est déjà pas si mal.

Nouvelle écrite au printemps 2019
pour Pocket et Elle.fr

POCKET N° 16935

> « Ce joli conte initiatique pointe du doigt l'absurdité de la guerre, avec un humour qui évoque à la fois *Le Petit Nicolas* et les *Monty Python*. »
>
> **Nicolas Auvinet,**
> **Le Parisien Magazine**

**Jérôme ATTAL**
## LES JONQUILLES DE GREEN PARK

Londres, 1940. Chez les Bradford, le *Blitz* n'empêche pas la vie de continuer. Ni le père d'inventer des choses les plus farfelues (un tatou géant !), ni la mère de pédaler jusqu'à son usine en chantant sous les bombes, ni la sœur de tomber amoureuse, encore et encore, de Clark Gable... Quant à Tommy, 13 ans, il ne vit que pour rigoler avec les copains, se gaver de comic books, et considérer Churchill comme une sorte de Superman-sur-Tamise. Noël approche, les sirènes hurlent. Reverra-t-il un jour fleurir les jonquilles de Green Park et, surtout, les si jolis yeux de Mila Jacobson ?

Retrouvez toute l'actualité de Pocket sur :
*www.pocket.fr*

POCKET N° 17438

Jérôme Attal
37, étoiles filantes

« *C'est vif, enlevé, avec un final en forme d'apothéose burlesque.* »

**Paris Match**

### Jérôme ATTAL
### 37, ÉTOILES FILANTES

1937. Sur son lit d'hôpital entouré de jolies infirmières, Alberto est au paradis. Si seulement Isabel pouvait l'oublier un peu. Isabel qu'il s'apprêtait à quitter, en pleine rue, quand une voiture l'a percuté. Mais la voilà qui arrive, la bouche pleine de nouvelles de Montparnasse : « Ton ami Jean-Paul raconte partout que tu es ravi de ton accident. Qu'il t'est ENFIN arrivé quelque chose. » Ah le salopard ! Le fumier ! Une paire de béquilles plus tard, Alberto part en chasse. Tout Paris est en ébullition, et pour cause : l'histoire de l'art et de la littérature dans le combat du siècle ! Giacometti veut casser la gueule de Sartre !

Retrouvez toute l'actualité de Pocket sur :
***www.pocket.fr***

La photocomposition de cet ouvrage
a été réalisée par
GRAPHIC HAINAUT
30, rue Pierre Mathieu
59410 Anzin


Imprimé en France par

MAURY IMPRIMEUR
à Malesherbes (Loiret)
en août 2020

Visitez le plus grand musée de l'imprimerie d'Europe

atelier-musée
de l'imprimerie
Malesherbes-France

N° d'impression : 246802
S29772/01